発達障害を考える 心をつなぐ

図解 よくわかる 自閉症

お茶の水女子大学大学院教授
榊原洋一 著

ナツメ社

自閉症は
決してまれな障害ではない

１９４３年に、アメリカの小児精神科医レオ・カナーは言葉の遅れ、対人関係の障害、こだわり行動などを特徴とする11名の小児（男児８名、女児３名）について報告し、対人関係の障害から自閉症（Autism）という名称を与えました。11人に共通する症状の特徴は「生まれたときから、通常の方法で他人やその場の状況と自分とを関連させることができない」ことであり、親は「自分自身で完結している」「殻《から》の中にいるようだ」「１人きりでいるときがいちばん幸せそう」「まるで他人がそこにいないように振る舞う」と書かれています。

かつては、１万人に４～５人くらいの人が自閉症であると言われており、まれな障害であると考えられていました。しかし、自閉症への理解が深まるにしたがって、高機能自閉症やアスペルガー症候群と呼ばれる自閉症と共通する症状を有する人は、全人口の２％前後にも達することがわかってきています。

２００２年に文部科学省が行った通常学級に通う児童生徒を対象とした調査でも、約０・８％の児童生徒が、高機能自閉症の行動特性をもつことが明らかになりました。

本書は、このように決してまれではなく、どこにでもいる自閉症の子どもたちの特徴と、そうした子どもたちへの対応のしかたを具体的にわかりやすく解説したものです。

本書が自閉症のお子さんのご家族や、保育園、幼稚園、小中学校の教師の方々だけでなく、身近に自閉症のお子さんがいるすべての方々のお役に立てば幸いです。

榊原洋一

理解していますか？

「自閉症」理解度チェック

自閉症という障害について、みなさんはどれくらい知っていますか。次の10問に答えて、確かめてみましょう。

第1問

Q 自閉症はどれくらいの頻度で発症しますか？

A
□ ①100人に1人
□ ②1000人に1人
□ ③10000人に1人

第2問

Q 自閉症はどのような症状を示す障害ですか？

A
□ ①自分の殻（世界）に閉じこもり、人と接触したがらない
□ ②笑ったり泣いたりすることがなく、静かでおとなしい
□ ③相手の気持ちを理解したり、共感したりすることがむずかしい

第3問

Q 育つ環境やしつけのしかたが原因となって発症しますか？

A
□ ○
□ ×

第4問

Q 知的障害を伴うことが多い障害ですか？

A
□ ○
□ ×

第5問

Q 自閉症の子どもは、通常学級で学習することはできませんか？

A
□ ○
□ ×

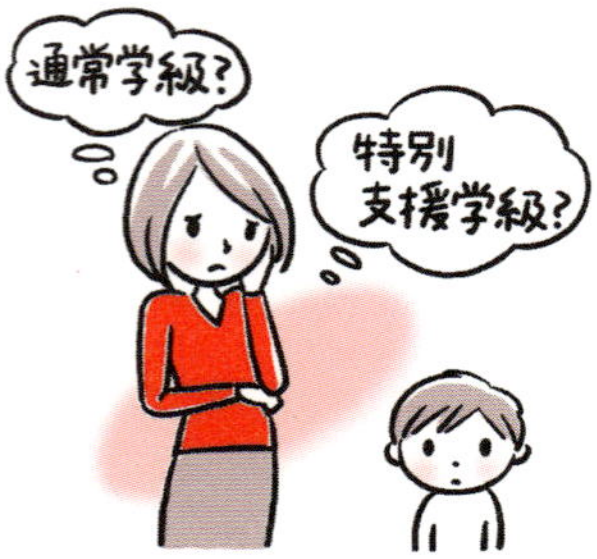

第6問

Q 薬や手術などで治すことができますか？

A
□ ○
□ ×

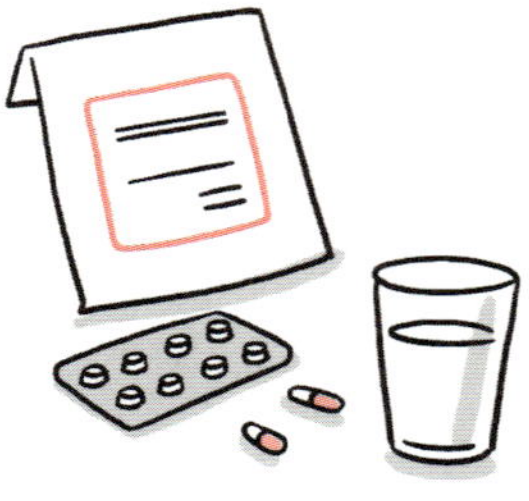

第7問

Q 子どもが激しいかんしゃくを起こしたときは、なだめたり、押さえつけたりするのがよいですか？

A □ ○ □ ×

第8問

Q 指示を出したり、やり方を教えたりするときは、ことばを使っててていねいに説明するとよいですか？

A □ ○ □ ×

第9問

Q 自閉症は発達障害ですから、発達や成長はしないですか？

A □ ○ □ ×

第10問

Q 大人になってから自活したり、仕事をもてるようになる人もいますか？

A □ ○ □ ×

答えと解説

第1問 ② 最近、高機能自閉症（知的障害のない自閉症）の人の診断がつくようになり、全体数が増えました。

第2問 ③ 人との接触を故意に避け、自分の殻に閉じこもったり、引きこもったりする障害ではありません。

第3問 × 生まれつき脳の機能に障害があることで発症するもので、生後の育てられ方が原因になることはありません。

第4問 ○ 多くの自閉症のケースでは、程度の差はありますが、知的障害を伴います。

第5問 × 知的障害があまりなく、こだわりが強くなく、人とコミュニケーションがとれる人は通常学級でも学習できます。

第6問 × 脳の機能障害を根本的に治す医学的な方法は、まだありません。

第7問 × 基本的には無視をし、かんしゃくがおさまったらほめる方法が最適です。

第8問 × ことばよりも、絵カードを見せるなど、視覚的な指示のほうが伝わります。

第9問 × 障害はあっても、ひとりひとり、それぞれのペースで発達を続けていきます。

第10問 ○ 自閉症の特性に合わせた適職を見つけ、仕事に就く人もたくさんいます。

もくじ

1章 どこか不思議な子どもたち

ひとりが好きな、手のかからない赤ちゃん …… 10
- おかあさんがそばに来ても笑ったり、うれしそうにしない 10
- 泣いて要求することもなく、「あと追い」もしない 10

人とコミュニケーションをとろうとしない …… 12
- 名前を呼んでも振り向かない 12
- おかあさんの顔色も気にしない 12
- 同年代の子どもとのふれあいは最も不得意 13

ことばの理解が遅く、会話をすることがむずかしい …… 14
- ことばの遅れで自閉症と気づくことが多い 15
- 音やリズムのおもしろさに反応することはある 15

音や光などに敏感に反応する …… 16
- サイレンの音などを異常に怖がる 16
- 視覚や触覚も過敏で、肌ざわりにもこだわる 16

同じ行動を繰り返す …… 18
- 儀式のように飽きずに繰り返す 18
- 繰り返し動作は「くせ」のようなもの 19
- 変な行動でも認めてあげる 20

味やにおいに対するこだわりがある …… 22
- 同じものしか食べない 22
- 嗅覚が敏感で、においをかぐクセも 23

「変化」についていけない …… 24
- 家具の配置が変わってもパニックになる 24
- 時間割の変更や行事などにも対応できない 25
- 細部が気になり、全体が見えない 25

数字や漢字の暗記が得意な子もいる …… 26
- 驚くほどの能力を発揮する子もいる 26
- 特殊な能力だが、知能の高さとは関係がない 27

あいまいなことが理解できない …… 28
- 自由に過ごす時間がいちばん苦手 28
- 「ちょっと」「きちんと」などが理解できない 29

相手の気持ちや立場を想像することができない …… 32
- 顔の表情が読めず、気持ちがわからない 32
- 想像したり、空想したりするのが苦手 32

突然、感情が爆発し、パニックがおさまらない …… 34
- いきなりパニックになり周囲を困惑させる 34
- 腕をかむなどの自傷行為に至ることも 34

自閉症の子どもとの接し方 7つのポイント …… 36

2章 自閉症とはどのような病気か

自閉症は「発達障害」に含まれる …… 40
- 通常学級に通う6・3%が支援を必要としている 40
- 障害の領域が多岐にわたる広汎性発達障害 40

「自分の世界に閉じこもる病気」ではない …… 42
- コミュニケーション障害が第一の特徴 42
- 自閉症は生まれつきの障害 43

脳の機能障害がかかわっている …… 44
- 認知・感情・情動をつかさどる部位の発達障害 44
- てんかんに特有の脳波異常が見られる 45

遺伝子の異常が深くかかわっている …… 46
- 親から受け継がれる病気とは異なる 46
- 自閉的症状を示す遺伝性の病気もある 46

自閉症にはいろいろなタイプがある …… 48
- 知的障害の程度が症状の軽重にかかわる 48
- 自閉症のタイプは4つの視点で判断される 48

「自閉症」という病名が当てはまらない子もいる …… 50
- ほかの自閉性障害と区別しない考え方もある 50
- 成長とともに症状も変化する 51

自閉症の子どもは増えている? …… 52
- 自閉症と診断される子どもは10倍も増えた? 52
- 高機能の診断がつき、見かけ上、増加している 53

早期発見・早期指導が発達を助ける …… 54
- 障害を抱えながらも子どもは発達する 54
- まず「気づく」ことが大事 54

自閉症が疑われたら相談先を見つける …… 56
- 医療機関なら、小児神経科か児童精神科へ 56
- 診断がつくことは療育のためにも望ましい 56

コラム 「自閉症」について理解を深める 58

3章 自閉症の子どもをサポートする

医療機関にかかるときの心がまえは? …… 60
- 診断を受けるというより、相談にのってもらう気持ちで 60
- 診断に役立つ情報をまとめておく 60

自閉症はどのように診断するか …… 62
- 子どもの行動パターンを診断の手がかりにする 62
- 病名を告げるときは、「診断基準」を用いる 62

病名をつけるだけでなく、障害の特性を見極める …… 64
- ひとりひとりの障害の特徴・傾向を見極める 64
- 子どもの特性を理解することが、親にも求められる 64

自閉症とかかわりの深い発達障害 …… 66
●典型的な自閉症と高機能自閉症 66
●言語発達に遅れがないアスペルガー症候群 67
●ルールを理解していながら守れないＡＤＨＤ 67
症状によっては薬を使うこともある …… 70
●自閉症の治療に使われる薬は主に3種類ある 70
●効果のある薬は積極的に用いる 70
自閉症の治療は「療育」を中心に進める …… 72
●医学的に治せないが、「療育」することはできる 72
●療育は自閉症に対する最良の治療法 72
療育の基本となるのは行動療法 …… 74
●ことばや説明では理解できない 74
●自閉症特有の認知にもとづいた行動療法を 74
ABA（応用行動分析）によるサポート …… 76
●「強化」しながら適切な行動を身につけさせる 76
●最初のうちはヒントを与えてあげる 77
●ステップを一段階ずつ積み上げていく 78
●順行式で覚える方法と逆行式で覚える方法 78
TEACCHによるサポート …… 80
●アメリカで開発された治療・教育プログラム 80
●9つの理念にもとづきプログラムを実践 81
TEACCHによる「構造化」の進め方 …… 82
●空間を「構造化」し、行動しやすい環境にする 82
●時間を「構造化」し、見通しを立てさせる 82
●手順を「構造化」し、自立的にできるようにする 82
療育はどこで受けられる？ …… 84
●保健所などに相談して利用しやすい施設を探す 84
●子どもに適した療育がすぐに受けられるようにするには？ 84
コラム ABAとTEACCHの違い 86

4章 家庭で自閉症児を支え、育てる

注意を向けるために名前を呼ぶ …… 88
●コミュニケーションをとるための基本的な動作 88
●呼びかけに反応があったら、ほめてあげる 88
問題行動は、ほめながらやめさせていく …… 90
●ほめられたことはいつまでも覚えている 90
●問題行動を起こしているときは、飽きてやめるまで無視する 90
絵カードなど視覚的なサインを活用する …… 92
●音声の理解は苦手でも視覚でとらえることは得意 92
●子ども自身の意思表示にも絵カードを使わせる 93
部屋や場所ごとの役割を決める …… 94
●子どもが行動しやすい環境をつくる 94
スケジュールを立て、行動しやすくする …… 96
●1日の生活の流れをひと目でわかるように示す 96

- ●スケジュール変更は前もって知らせておく　97

日常動作の方法は細かいステップに分ける……98
- ●方法や手順を段階に分けて教える　98
- ●最終目標は、自発的・自立的に行動できること　98

家族の一員として役割を与える……100
- ●親から評価されれば自尊感情が満たされる　100
- ●小さなことでもできたらほめる　100

健康面の管理に気を配る……102
- ●睡眠障害には薬を用いることも　102
- ●偏食は無理に治さなくてもよい　103

きょうだいを「よき理解者」にする……104
- ●自閉症という障害を理解させる　104
- ●不公平感や孤立感を覚えさせない配慮を　105

どのような学校を選べばよいか……106
- ●養護（特別支援）学校、特殊（特別支援）学級、通常学級、それぞれに長所短所が　106

そこが知りたい！　自閉症についてのQ&A　親の悩み　108

5章　幼稚園や学校ではこのようにサポートする

集団生活のなかで子どものハードルを見つける……110
- ●家庭から社会へ踏み出す最初のステップ　110
- ●「集団の力」が自閉症児の成長を手助けする　111
- ●園生活での問題点を親と話し合う　111

遊びを通じて社会性を身につける……112
- ●ほかの子とかかわりながらコミュニケーション能力を体得する　112
- ●一対一の遊びからごっこ遊びまで　113

学校では、安定して過ごせる配慮を……114
- ●視覚的な刺激の少ない場所を用意する　114
- ●教室を移動するときはあらかじめ説明する　114
- ●パニックにおちいったときに引きこもれる場所も必要　115

時間割や手順を、できるだけ変更しない……116
- ●どこでなにをするかを示した細かい時間割をつくる　116
- ●授業の進め方も具体的に伝えておく　117
- ●行事は写真などを使って前もって知らせておく　117

指示を出すときは、できるだけ簡潔に……118
- ●声で出す指示より視覚情報が伝わりやすい　118
- ●一度に伝える情報はひとつだけにする　118

得意な科目や能力を伸ばしてあげる……120
- ●得意科目で能力を伸ばし、達成感を味わわせる　120
- ●ほかの子どもと比べず、本人の発達度を評価する　121

問題行動を起こしたときの対応のしかた……122
- ●問題行動を「やめさせる」のではなく、「起こさせない」　122
- ●基本的には放っておき、自然におさまるのを待つ　123
- ●心理の専門家に指導してもらう方法も　123

担任の先生だけでなく、学校全体で支援する……124
●学級担任ひとりにすべての解決をゆだねない 124
●校内委員会を設け、学校全体で対応していく 124
保護者との信頼関係を築く……126
●障害を認めたがらない保護者に受診をすすめるのは逆効果 126
●学校で、子どもの状況を直接見てもらう 126
●同級生の保護者に理解を求める 127
そこが知りたい！ 困ったときのQ&A 先生の悩み 128

6章 社会生活に向けて家庭、地域での支援

子どもの成長に合わせた生活目標を考える……130
●同じ年齢でも、発達段階が異なる 130
●無理のない目標を設定し、発達の経過を見守る 130
日常的な生活スキルを身につけさせる……132
●学力をつけさせるよりも、身辺自立に重点を置く 132
●子どもがもっている特別な能力を見逃さない 133
地域の人に、障害について理解してもらう……134
●近所の人や顔なじみの店員などに協力を求める 134
●社会ルールやマナーを教えてもらう 134
習い事やスポーツクラブで活動の場を広げる……136
●習い事の教室に通って余暇活動の幅を広げる 136
●ひとりで買い物にチャレンジしてみる 137
学校卒業後の就労支援・生活支援……138
●生活形態・就労形態はひとりひとり異なる 138
●授産施設や作業所で仕事に携わる 138
人生のゴールは設定せず、できることを積み重ねていく……140
●家庭、地域における自立を進めることが先決 140
●発達とは、少しずつ積み重ねていくもの 141

1章

どこか不思議な子どもたち

自閉症のサイン

ひとりが好きな、手のかからない赤ちゃん

自閉症の赤ちゃんは、おかあさんにさえも愛着を示すことがありません。ひとりでもさびしくならず、泣いておかあさんを呼ぶこともないのです。

おかあさんがそばに来ても笑ったり、うれしそうにしない

ふつう、赤ちゃんというのは「人好き」です。いちばん好きなのはおかあさんですが、親やきょうだいではなくても、だれかがそばに来てくれると喜び、ほほえみます。これは、赤ちゃんに生まれつき備わっている「愛着行動」の現れと言えます。

生まれて間もない赤ちゃんは、自分の顔をのぞき込んでいる人の顔をじっと見つめ、目元や口元から表情を読みとっていくようになります。このような人への愛着行動を通じて、赤ちゃんは、自分にとって大切な人の顔を覚えたり、相手が自分に好意をもっているのかどうかを、表情から探ることができるようになっていくのです。

しかし、自閉症の赤ちゃんには、そうした愛着行動があまり見られません。だれかがそばに来てくれても、それがたとえおかあさんであっても、うれしそうにほほえむことはありません。身近な人が抱っこしたり、あやしたりしても、喜んで笑い声をあげることがないのです。

泣いて要求することもなく、「あと追い」もしない

逆に、まわりにおかあさんや遊び相手になってくれるきょうだいの姿が見えなくなったときに、さびしくなって泣くこともありません。

おなかが痛いとか、手足をどこかにぶつけて痛いといった理由で泣くことはあっても、おかあさんや身近な人に何かを要求して泣くという行動が見ら

アドバイス

抱っこをいやがることも…

自閉症の赤ちゃんは、人に対する愛着の気持ちが少ないため、体をさわられたり、抱っこされたりするのをいやがることがあります。

自閉症の子どもは「変化に対応する」ことができません。大人がなにげなくする、抱っこという行為も、自閉症の赤ちゃんには予期できないことであり、不安や緊張につながるのではないかと考えられています。

抱っこをいやがる赤ちゃんには、無理に抱っこをしないほうがよいのです。

自閉症の赤ちゃんの特徴

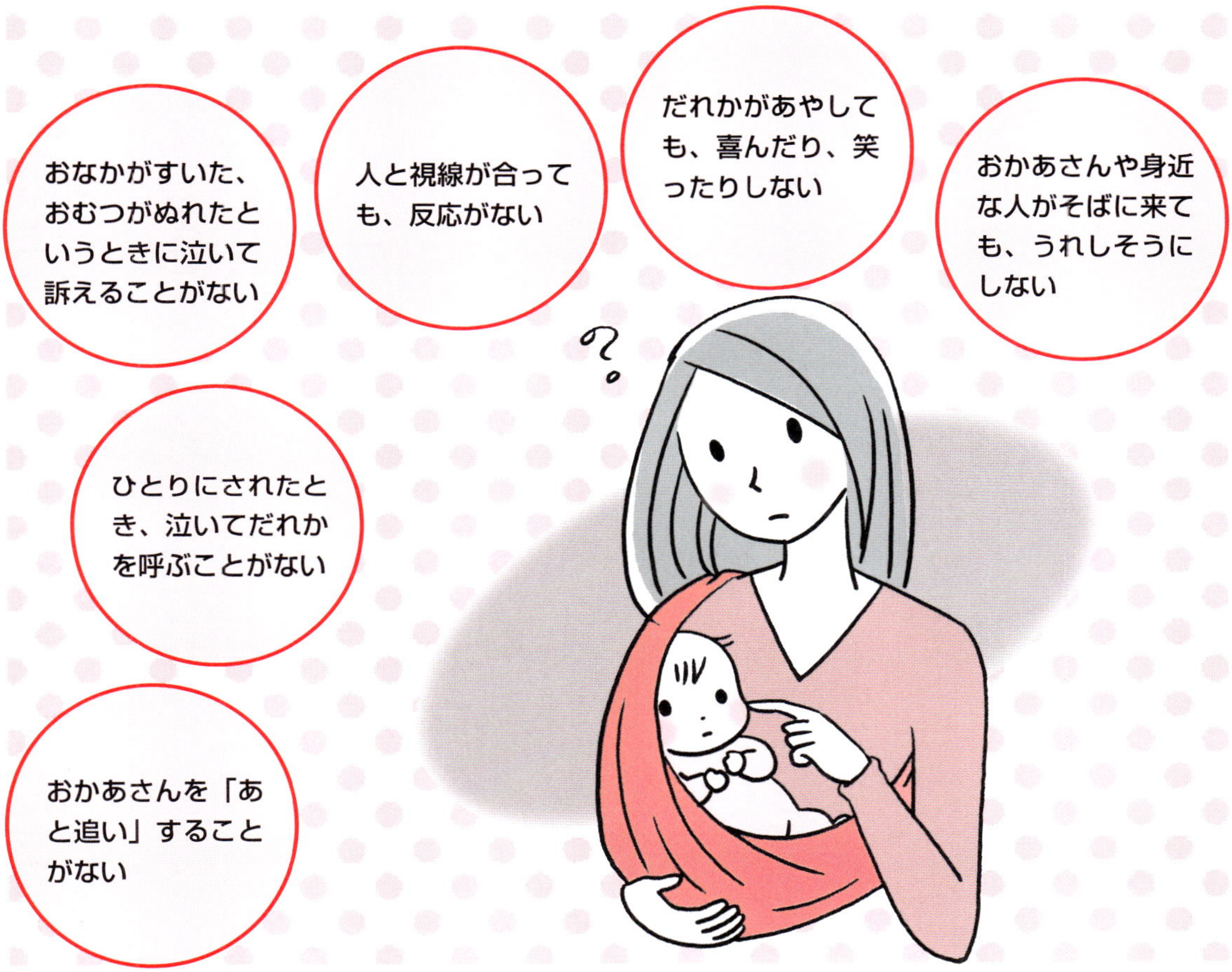
おなかがすいた、おむつがぬれたというときに泣いて訴えることがない
人と視線が合っても、反応がない
だれかがあやしても、喜んだり、笑ったりしない
おかあさんや身近な人がそばに来ても、うれしそうにしない
ひとりにされたとき、泣いてだれかを呼ぶことがない
おかあさんを「あと追い」することがない

れません。これも、人に対する愛着の気持ちが少ないために起こることです。

乳児には、抱っこしてほしいときは泣き、抱っこされると泣きやむ「抱きぐせ」という現象が起こりますが、自閉症の赤ちゃんにはそれがあまりありません。

ミルクがほしい、おむつがぬれたから替えてほしい、だれかにかまってほしいと、おかあさんたちに訴えるために泣いたりすることも少ないのです。

また、赤ちゃんが少し大きくなってハイハイができるようになると、おかあさんを求めて追いかけ回す「あと追い」が始まりますが、自閉症の赤ちゃんの場合は、あと追いもしません。ですから、「あと追いが激しくて赤ちゃんから目を離すことができない」と、おかあさんが悩まされることもないのです。

自閉症のお子さんをもつおかあさんの多くは、子どもが赤ちゃんだったころを振り返って、このように言います。「そういえば、あまり手のかからない赤ちゃんだった」と。

人とコミュニケーションをとろうとしない

幼児期になっても、自閉症の子どもは人とのかかわりを好みません。目を合わせたがらないし、声をかけても振り向かないのです。

名前を呼んでも振り向かない

　子どもが診察室に入って来たとき、筆者はまず、その子の名前を呼びます。たいていの子どもは、元気よく返事をしたり、恥ずかしがってもじもじしながら、筆者のほうをそっと見上げたりします。

　しかし、大部分の自閉症の子どもは名前を呼ばれても返事をしませんし、こちらを見ることもありません。それは、筆者とは初対面で、知らない大人だからそうするのではありません。声をかける人が最も身近なおかあさんでも、振り向いたり、視線を合わせたりすることがほとんどないのです。

　自閉症の子どもは、親であれ、他人であれ、人という存在に関心が少ないため、だれかから声をかけられても反応しようとしないのです。

おかあさんの顔色も気にしない

　ふつうの子どもは、少し大きくなってくると、親の顔色を気にするようになります。

　たとえば、子どもに「おかあさん、やさしい？」と尋ねると、ふつうは、隣にいるおかあさんの顔色をちょっと見てから、「うん」というように答えます。自分の答えによっておかあさんがどんな反応をするだろうか、ということが気になるからです。

　そういった特別の状況ではなくても、子どもはふだんから、「自分がこんなことをしたら、おかあさんがどう

POINT

人見知りもしない

　自閉症児の特徴は、人に無関心なことです。親やきょうだいに対して愛着を覚えることも少ない代わりに、知らない人に警戒心を抱くこともあまりありません。つまり、人見知りをしないのです。

　人見知りをするのは、相手を見て、知っている人かどうかを見極める能力がついてきた証拠です。自閉症の子は人の顔を見分けることはできますが、それに愛着や警戒の気持ちが伴わないのです。

思うだろうか」「おかあさんは自分を見ていてくれるだろうか」と心配で、遠くで遊んでいても、おかあさんがどこにいるか確かめておき、その顔をちらちら見ます。おかあさんの表情や視線を確認して、安心したり、不安になったりするものなのです。

　しかし、自閉症の子どもは、おかあさんの表情にも視線にも興味がなく、おかあさんの顔色をうかがったり、視線を気にしたりすることはありません。それは、おかあさんそのものへの関心が少ないからです。

　おかあさんに関心がもてないのは、おかあさんの性格や日ごろの養育態度と関係があるわけではありません。

　おかあさんに限らず、あらゆる人に関心を寄せないのです。自閉症とはそういう障害なのです。

同年代の子どもとのふれあいは最も不得意

　自閉症の子にとって、同年代の子どもはいちばんつきあいにくい相手です。自分のことを理解し、不安や緊張におちいらなくてもいいように気をつかってくれる大人（親や教育者など）となら比較的安心して過ごせますが、そういう気づかいができない子どもと過ごすことは大きな負担になります。

「子ども同士ならわかりあえる」「子どもは、すぐに友だちになれる」という考えは、自閉症の子どもには通用しないのです。

集団行動ができない

同年代の子どもとかかわることが不得手な自閉症の子どもは、集団生活になじみにくいといえます。しかし、たとえひとり遊びしかできなくても、ほかの子どもたちのそばで過ごせるなら、できるだけ、ふれあう機会をつくってあげましょう。

自閉症のサイン

ことばの理解が遅く、会話をすることがむずかしい

ことばが遅い、会話をしない、というのは自閉症の大きな特徴です。
人に対する関心がないために、ことばを覚えようとしないのです。

自閉症の子どもはことばを使おうとしない

●取ってほしいものがあるときなどに、指さしをしないで、「クレーン現象」といって、相手の手をつかんでその場所へもっていく動作をする子もいる

●赤ちゃんのころから、おかあさんがことばかけをしても反応しない

●簡単な単語であっても、意味を理解できない

●質問に答えたり、人の話に同調したり、反論したりすることがない

用語解説

クレーン現象

自閉症の子は、指さしをしたり、ほしいものがあるとき、ことばで「あれ取って」と言うことはありません。その代わり、ほかの人の手をつかんで、取ってほしいもののある場所へもっていきます。

これを「クレーン現象」と言います。ほかの人の手を「人の一部」とはみなさず、道具のように使うことからこの名がついています。

ことばの遅れで自閉症と気づくことが多い

子どもが自閉症ではないかということに、周囲の大人が気づくきっかけとして最も多いのが、ことばの問題です。「3歳になったのに、まだことばが出てこない」「自発的になにかを話そうとしない」など、言語の遅れを親が心配して、健診や医療機関で相談した結果、自閉症とわかるというケースです。

自閉症の子どもは、たしかにことばがなかなか出てきません。しかし、その障害の程度には個人差があり、ふつうの子どもよりは遅れるものの、やがて少しずつ話せるようになるケースもあります。一方、ことばを発することなく大人になり、ずっと人と会話をしないまま過ごす人もいます。

なぜ、ことばが出てこないのか――それは、自閉症の子どもが人に興味がなく、かかわろうとしないことと大きく関係しています。

ふつうの子どもはおかあさんや身近な人が発することばを注意深く聞き、声のトーンや抑揚《よくよう》から、自分になにを伝えようとしているのか、一生懸命に理解しようとします。

しかし、自閉症の子どもには、そうした興味があまりありません。自分のまわりにいる人とコミュニケーションをとりたいという気持ちにならないために、その手段である「ことば」を覚えたいという欲求もわかないのです。

音やリズムのおもしろさに反応することはある

人と会話をしない自閉症の子どもでも、テレビのコマーシャルで耳にする歌や文句を繰り返して言ったり、まわりのだれかが発したことばをまねて、「オウム返し」をすることはあります。たとえば、親が「ケーキ食べたい？」と言うと、「ケーキ食べたい？」とそのまま繰り返します。

しかし、こうして覚えたことばも、意味を十分に理解していないことがあります。おそらく、音の響きやリズム、イントネーションのおもしろさなどにひかれて、それにこだわり、声に出して確認しているのものと考えられます。

実際、自閉症の子どものなかには、音に対する感覚がとても敏感で、音感が人一倍すぐれている子もいます。しかし、そうした子どもであっても、ことばの意味を理解し、コミュニケーションの手段として用いることは少ないのです。

また、人と話をするときは、ふつうは身ぶり手ぶりを交えたり、声の調子を変えたりして、自分の感情を表現しますが、自閉症の子は、そうした言語以外の伝達手段も使おうとしません。

会話をしない子でも、独特の話し方をすることがあります。オウム返しはそのひとつで、耳に残ったことばを抑揚のない早口で繰り返す子もいます

自閉症のサイン

音や光などに敏感に反応する

自閉症の子どもは、聴覚や視覚、触覚など、感覚器官の働きにも特徴があります。音や肌ざわりなどに、とても敏感に反応します。

サイレンの音などを異常に怖がる

だれでも、突然、大きな雷《かみなり》が聞こえたら、ドキッとして、恐怖を感じるでしょう。

しかし、自閉症の子どもの場合は、ふつうの人が平気な音にもドキッとして、強い恐怖や緊張に襲われます。耐えられないときは耳をふさいで騒いだり、泣いたりすることもあります。

自閉症の子どもが苦手な音は、一般的には大きな音、高い音、騒音などと言われています。よくある例としては、救急車や消防車のサイレンの音、掃除機の音、怒《ど》鳴《な》り声、赤ちゃんの泣き声、犬の吠《ほ》え声などがあげられます。

また、ピアノなどの楽器の音をいやがり、ふつうの人にとって不快な、窓ガラスや黒板をツメで引っかく音などには平気という子もいます。

これは、自閉症の子どもの聞こえ方が、ふつうの人の聞こえ方とは違うからではないかとみられています。

自閉症の子どもは、騒音や雑音のなかから、自分に必要な音だけを聞き分けることがむずかしいと言われています。そのため、ふつうの人よりも聴覚が過敏になり、耳ざわりに感じる音が多いと考えられます。

視覚や触覚も過敏で、肌ざわりにもこだわる

聴覚と同じようなことが、視覚についても言えます。自閉症の子どもの見え方は、ふつうの人の見え方とは異なっています。

自閉症の子どもは、物を間近で見た

アドバイス

なでられるのを嫌う子もいる

自閉症の子どもの多くは、人からさわられるのをいやがります。それは、人になじめないからという理由だけではなく、さわられたときの感触が不快だからです。こうした皮膚感覚は、自閉症に独特のもので、ふつうの人にはわかりません。

子どもがいやがっているとわかったら、頭をなでたり、肩をたたいたり、手をつないだりするのはやめましょう。

自閉症の子どもの不思議な感じ方（例）

視　覚
人と視線を合わせることはひどくいやがるのに、関心を向けた物には顔を近づけて凝視する
聴　覚
大きな声で名前を呼んでも振り向かないが、テレビから流れてくるコマーシャルの小さな音には敏感に反応し、耳をふさぐ
温度感覚
暑さや寒さには鈍感で、寒い冬にTシャツ１枚で出かけたり、暖かい季節になってもコートを着ている
触　覚
だれかにさわられただけで、たたかれたように感じる反面、ケガや虫歯の痛みに対しては平気である

り、手を目の前にかざして指の間からのぞき見たり、横目でじっと見たりといった、特徴のある「物の見方」をしますが、これも自閉症特有の視覚とかかわっていると考えられています。

また、木漏《こも》れ日など、チラチラする光の点滅に見入ることも多いのですが、こうした光の刺激を好むのも、独特の視覚によるものではないかとみられています。

触覚も過敏です。特定の肌ざわりに強いこだわりをもち、同じ材質の洋服ばかりを着たがり、別の洋服を強く拒否する子がいます。このようなこだわりをもつ子のなかには、お出かけするときはこの服、学校へ行くときはこの服と決めていたり、このズボンとこのセーターというように組み合わせを決めていて、それをけっして変えない子もいます。

そのほか、つま先立ちしかせず、歩くときもつま先歩きしかしない子どももいます。立ったときや歩くときに、足の裏になにかが当たる感触が不快なためとみられています。

自閉症のサイン

同じ行動を繰り返す

ぐるぐる回る、手をひらひらさせるなど、自閉症特有の動作があります。同じ動作を続けることで、気分を落ち着かせているのです。

儀式のように飽きずに繰り返す

ひとつの動作にこだわり、それを果てしなく繰り返す「常同《じょうどう》行動」も、自閉症の特徴です。

たとえば、両腕を広げて体をコマのようにぐるぐる回転させ、それをいつまでも続けます。ふつうの子どももそのような遊びはしますが、10回も続ければ、目が回り、飽きてしまうでしょう。しかし、自閉症の子どもは飽きません。

ジャンプが好きな子どもは、一度ジャンプを始めると、いつまでもジャンプを続け、やめようとしません。見ている周囲の人が気疲れして「やめなさい」と言っても、まったく聞く耳をもちません。

よく見られる常同行動①

●両腕を水平に広げて、コマのようにくるくる回る

●トランポリンやマットなどの上でジャンプする

●上半身を前後に揺らす

上半身を前後に揺する、手をひらひらさせる、腕をぶらぶら振る、などの動作が見られることもあります。

また、同じ場所を行ったり来たりしたり、同じドアや窓を開けたり閉めたりすることもあります。こうした行動を何度も繰り返すのが特徴です。

その様子は、たとえば、同じ場所を同じような歩き方をしたときには、床の見え方も同じであることを、同じようなドアの閉め方をしたときは、その閉まり具合が同じであることを、あたかも確認しているように見えます。

こうした行動は、周囲から見ると奇異に映りますが、本人は自分が他人の目にどう映っているかをまったく気にしません。

繰り返し動作は「くせ」のようなもの

なぜ繰り返し動作が行われるのか、その理由はわかりませんが、そのような動作を続けることで得られる、ある一定の感覚を意識しながら安心し、気分を落ち着かせているのではないかと

よく見られる常同行動②

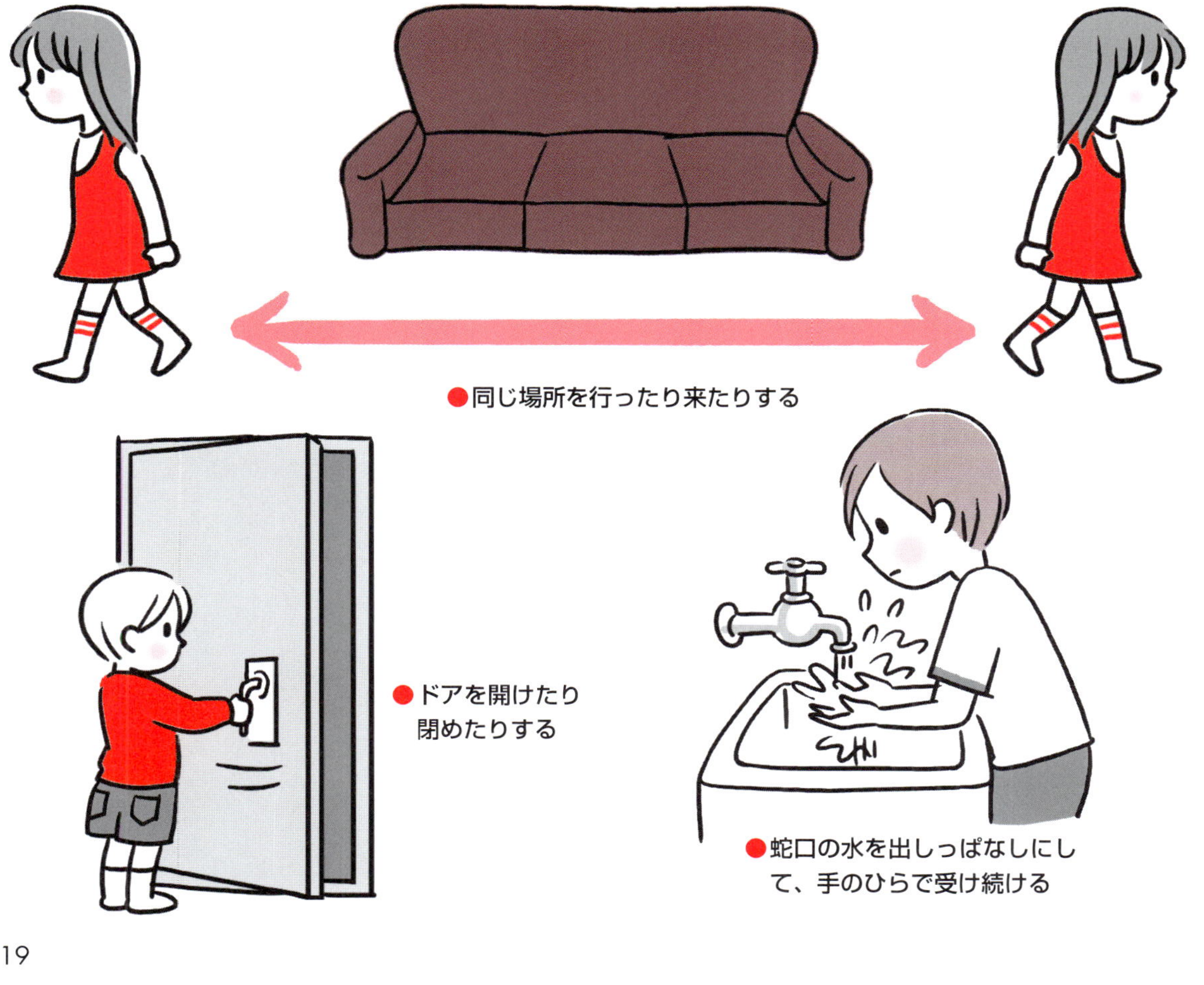
●同じ場所を行ったり来たりする
●ドアを開けたり閉めたりする
●蛇口の水を出しっぱなしにして、手のひらで受け続ける

考えられます。

このことから、繰り返し動作は、「自己刺激行動」とも呼ばれています。

自己刺激行動は、子どもの不安が高まっているときに起こりやすいと言われていますから、それが起こっているときは、不安や緊張を取り除いてあげるといった配慮が必要でしょう。

ところで、ふつうの人たちにも、特有のしぐさがあります。たとえば、考え込むときに腕組みをしたり、なにかに熱中すると髪の毛をいじったり、イライラすると貧乏揺すりをしたり、自分でも気づかない「クセ」をもっているものです。

これは、ある心理状態におかれたときに特有の動作をすることで、不安や緊張をやわらげ、気分を安定させているのです。

自閉症の子どもの繰り返し動作も、これと同じと言えます。ただ、不安や緊張に耐えられる許容範囲がふつうの人と比べてずっと狭いために、特有のしぐさが極端に現れてしまうと考えられています。

変な行動でも認めてあげる

自閉症の子どもの常同行動は、はたから見ると奇異に映りますが、子ども自身が精神的な安定を求めて行っていることですから、頭ごなしにやめさせることは好ましくありません。

子ども自身に危険が及んだり、ほかの人がひどく不快な思いをしたりしないかぎりは、周囲の理解を求めるなどして、できるだけ容認してあげることも大切です。

たとえば、ジャンプを繰り返し、階下に迷惑がかかるのではと心配なときは、下にマットを敷いて音が響かないようにするなどの工夫をするとよいでしょう。

アドバイス

常同行動は、少しずつ減らしていく訓練を

幼い子どもの常同行動は、周囲の人たちも比較的抵抗なく見てくれますが、10代後半くらいになってくると、周囲の見る目も変わってきます。外出先などで、常同行動が目立ったときは、口頭での指示がわかる子には、「もうひと駅がまんして」というように伝えて従わせます。

また、ゲームなどに熱中しているときは、常同行動は起こりにくいので、外出の際にゲーム機を携帯し、子どもが退屈してきたときにやらせてあげるのも効果的です。

ふだんから、子どもの様子を観察し、常同行動が出ないのは、なにに夢中になっているときかを把握しておきましょう。

よく見られる常同行動③

●目の前で手をすばやく上下させて、それを見ている

●木漏《こも》れ日や地面に映る動く影などに、いつまでも見入っている

●ぶ厚い本や雑誌のページを機械的にパラパラめくりながら、目を近づけてその動きを見る

●手をパチパチ叩き続ける

●耳元で紙をさわって、カサカサという小さな音に聞き入る

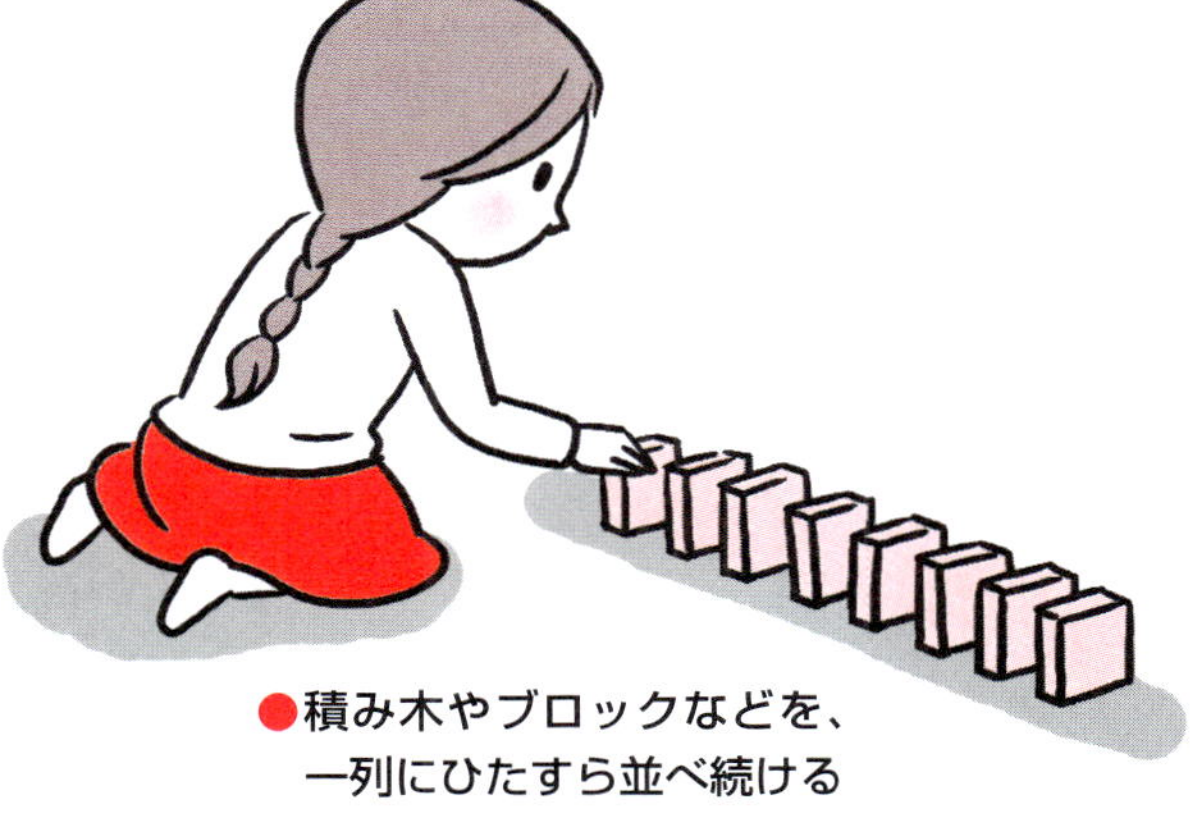

●積み木やブロックなどを、一列にひたすら並べ続ける

自閉症のサイン

味やにおいに対するこだわりがある

自閉症の子どもは、味覚や嗅覚《きゅうかく》にも偏りが見られます。気に入ったものしか食べない子や、においをかぐクセのある子もいます。

同じものしか食べない

偏食が激しい子もいます。自閉症の子どもの偏食は、「にんじんが嫌い」「ピーマンが食べられない」というように、苦手な食品がいくつかある、という程度のものではありません。ゼリーしか食べず、しかも、ある決まったメーカーのゼリーしか食べない、といった極端な偏り方なのです。

にんじんなど特定の野菜を嫌う子どもは、その野菜をどんなに細かく刻んで料理の中に入れても、口の中の感覚で、すぐに小さな断片に気づき、吐き出してしまうことがあります。

こうした食べ物へのこだわりと拒絶がなぜ起きるのか、その理由はよくわかっていません。慣れ親しんだ味覚へのこだわりと、未知なる味への警戒心があるとも考えられますし、味覚だけではなく、食感（歯ざわりや舌ざわり）が不快な食べ物を避けるということもあるようです。

また、視覚的な要素もからんでいて、ある決まった色や形の食べ物しか食べない、逆に、ある色や形の食べ物は食べられないといった子もいます。

ただし、ふつうの子どもが成長とともに偏食がしだいに改善していくように、自閉症の子どもの多くも、少しずつですが、食べられる食品のレパートリーは増えていきます。

POINT

ひとりの食事が好きな子もいる

私たちは、食事は家族みんなで、あるいは、クラスのみんなで和気あいあいと食べるのが楽しいと考えますが、自閉症の子どものなかには、人と一緒に食事をするのがきらいな子もいます。

子ども自身に、そういったこだわりがある場合は、無理にみんなと同じ食卓につかせる必要はありません。

家族の食卓とは別の場所に食事を用意したり、教室の中でも、グループや班に加えずに、離れた所に机を置いてあげるなど、工夫してあげましょう。

自閉症の子どもに見られる偏食の特徴

- 慣れない食べ物、初めて出された食べ物には不安があり、なかなか食べられない
- 味覚や嗅覚に偏りがあり、特定の食べ物だけをおいしいと感じ、それ以外の食べ物はまずく感じる
- 触覚も敏感なため、特定の歯ざわり・舌ざわりにこだわる
- 視覚的なこだわりもあり、特定の色や形の食べ物を好んだり、嫌ったりする
- もともと、「変化への対応」が困難で、同じ物を食べ続けているほうが安心できる
- 単品の食材を調理したものは受けつけやすいが、複数の食材を混ぜて調理した物が食べられないことがある
- 視覚的なこだわりによって、皿や茶碗、盛りつけ方、食べ物が入っているパッケージなどが変わるだけで食べられなくなる。逆に、子どもの気に入った盛りつけ方、食器などを使うことで、食べられるようになることもある

年齢とともに、偏食は改善していくことが少なくありません。

まったく同じ料理でも、食器の柄が変わると食べられなくなることもある

嗅覚が敏感で、においをかぐクセも

嗅覚《きゅうかく》が敏感で、なんでもにおいをかいでみないと気がすまない子もいます。

これは、初めて手にした物のにおいをかいで、自分にとって不快な物でないかどうか確かめている行為と考えられます。においをかぐことで、不安や警戒心を取り除き、自分の気持ちを落ち着かせていると言えます。

自閉症の場合、嗅覚にも特有の偏りがあるため、ふつうの人にとってはよいにおいのものが、耐えがたい悪臭に感じられることもあります。

自閉症の子どもにしてみれば、においが気になってイライラしているのに、周囲はその理由に気づかず、そうした行為を異常な行動とみなしてしまいがちです。

においをかぐクセをすぐにやめさせようとするのではなく、そうしなくてもすむように、「前に使ったことのある物よ」などと声をかけ、安心させてあげるようにしましょう。

自閉症のサイン

「変化」についていけない

自閉症の子どもの最大の敵は「変化」です。室内の家具の配置が変わったり、いつも通る道が使えなかったりすると、混乱状態におちいります。

パニックを起こしやすい変化

知らない間に家具や置物の配置が変わっていた
いつも通る道が工事中で通れなくなった
電車やバスでいつも座る席に、ほかの人が座っていた

家具の配置が変わってもパニックになる

自閉症の子どもは、自分の周囲で何かが変化すると不安になり、気持ちがひどく動揺します。

いつもあるべき所にあるはずの物がない、いつもない物がそこに置かれている、物の置き方が少し曲がっていた、といった細かな変化にも敏感に反応します。

家の中の家具の配置が少し変わっただけでも、そのことが大きな不安となって襲いかかり、もとの状態に戻すまで泣き叫んだり、パニック状態になって、頭を壁にぶつけたりする自傷行為に及ぶことさえあります。

また、いつも通る道が工事中で通れないというときも、回り道をすることができず、泣き叫んで、目的地に行けなくなってしまいます。

電車やバスに乗るときも、どの席に座るか決めている子がいます。その席にほかの人が座っていると、押しのけて座ろうとし、周囲の人を驚かせるということも起こります。

時間割の変更や行事などにも対応できない

自閉症の子どもが苦手とする変化は、視覚的なものにかぎりません。

たとえば、学校で時間割が変更になって、いつもとは違う部屋で別の授業をすることになったり、運動会や学芸会、遠足など、特別な行事が催されるときに、それに合わせて行動することがなかなかできません。

「いつもと違う」ことは、自閉症の子どもをおびえさせます。自分がなにをすればいいのか、このあと、どこに行って、なにをさせられるのか――予測できないことばかりで、緊張と不安でいっぱいになります。

ふつうの子どものように、「きょうは遠足だから、教室で授業はしないで、バスに乗ってみんなで動物園へ行くんだ」という理解がすんなりできないのです。

ですから、時間割が変更になるときや特別行事のあるときは、前もって本人に知らせ、どのような手順でなにをするのかという具体的なスケジュールを理解させておく必要があります。

自閉症の子どもも、どこで、なにを、どのような順番でやるのかを教えてもらい、理解しておけば、不安がらずに行動できます。

細部が気になり、全体が見えない

自閉症の人の場合は、物の細部ばかりに目がいき、全体像が見えない傾向があります。

ふつうの人は、室内の家具ひとつの配置が変わったとしても、部屋全体を見渡せば、そこが見慣れた自分の部屋だと安心することができます。しかし、自閉症の場合、たったひとつの小さな変化にとらわれ、全体が認識できずにパニックになってしまうのです。

学校ではこんな変化が苦手

校舎の一部が建て直された

教室の壁や黒板に新しい掲示物が張り出された

年度替わりで、教室が移った

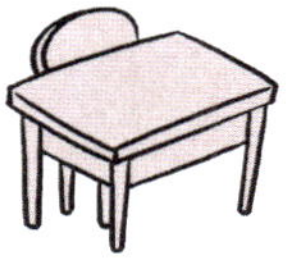

時間割の変更があったときや、運動会、学芸会、遠足など特別な行事があるとき

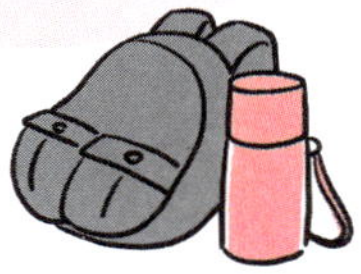

いつも使うトイレをだれかが使っていて入れなかった

習慣化された手順を変えなければならないとき

自閉症のサイン

数字や漢字の暗記が得意な子もいる

自閉症の子どものなかには、時刻表や漢和辞典を丸暗記したり、50年後のカレンダーを言い当てたりする、特殊な能力をもっている子がいます。

驚くほどの能力を発揮する子もいる

自閉症の子どものなかには、小学校へ入学する前に、膨大な量の数字や漢字、図形などを短時間に覚えてしまう、特殊な能力を発揮する子がいます。

たとえば、バスや電車の時刻表を短時間ながめただけで、すべて覚えてしまったり、漢和辞典を端から端まで読み通し、画数の多いむずかしい漢字などもすべて丸暗記して、ひとつひとつの文字を正確に書ける子がいます。

目の前を通り過ぎた車のナンバープレートの数字も、一瞬のうちに覚えることができる子もいます。

カレンダーが、ある規則性をもって数字が並んでいることをすぐに見抜き、「10年後の何月何日が何曜日か」という問いに、瞬時に答えることができる子もいます。

複雑な図形を覚えるのも得意で、同年代の子どもがとてもできないような難解なジグソーパズルを、出来上がり図も見ずに、あっという間に仕上げてしまうこともあります。

また、絵画や音楽の才能に秀でるケースもあります。絵の勉強をしたこともない幼い子どもが、写真の精密な画像を鉛筆で再現してしまうこともあります。はさみを使って切り絵を見事に完成させる器用な子もいます。

音感がすぐれている場合は、一度聞いただけの曲を完璧に覚えて歌えたり、絶対音感をもっていて、楽器で奏でられた音名を言い当てることができる子もいます。こうした能力を「サヴァン症候群」と言います。

用語解説

サヴァン症候群

自閉症の子どもの一部に見られる、主に記憶力にもとづく驚異的な能力を、「サヴァン症候群」と呼んでいます。「サヴァン」とは、フランス語で「賢人」という意味です。

サヴァン症候群は、自閉症だけでなく、知的障害をもつほかの発達障害の人にも見られることがあります。一般的には、自閉症の人の10人に1人、知的障害者の2000人に1人の割合で、サヴァン症候群が現れるとされています。

しかし、脳の中のどのようなしくみや機能によって、このような能力が発揮されるのかは、まだ解明されていません。

自閉症の子どもの一部に見られる特殊な能力

数字
カレンダー計算が得意で、何十年、何百年も先（前）の日にちが何曜日かを瞬時に答えることができる

音楽
一度聞いただけのクラシック音楽を、すぐにピアノで弾くことができる。しかし、楽譜は読めない

数字
何桁《けた》もある数字の計算が、暗算でできる

絵画
航空写真を一瞬見ただけで、その画像を細部にわたるまで正確に描写することができる

漢字
漢和辞典を丸暗記し、むずかしい漢字を書くことができる。ただし、漢字の意味や使い方はわからない

文字
本を最初から最後まで丸暗記し、暗誦《あんしょう》することができる

特殊な能力だが、知能の高さとは関係がない

このように説明すると、自閉症の子どもは「天才」ではないかと思われるかもしれません。しかし、こうした才能をもった子でも、知能検査をしてみると、ＩＱは標準を下回っていることが多いのです。

数字を瞬時に丸暗記できたとしても、その能力を生かす術を彼らはもっていません。また、むずかしい漢字が書けたとしても、その意味や用法は理解していませんから、それを使って表現することはできません。

もし、そうした能力を伸ばし、勉学や仕事に生かそうとするなら、親や教育者の援助が必要になります。

突出した才能だけでは、自閉症の子どもの生活を豊かにし、幸福をもたらすことにはつながりません。

自閉症の子どもにとっては安定した生活が第一であり、その基盤があってこそ、能力を生かしていくことが可能になるのです。

自閉症のサイン

あいまいなことが理解できない

自閉症の子どもは、あいまいなことが受け入れられません。いつまでに、どこで、何をすればよいのか、具体的な指示を出してあげることが大切です。

自由に過ごす時間がいちばん苦手

自閉症の子どもは、具体的な指示を出してあげなければ、なにをしたらよいのかわからなくなってしまうことがよくあります。

たとえば、学校の授業のように、何時から何時まではこの教室の自分の机に着席し、どのような学習課題や作業をどれだけやればよいかということがわかっている場合は、混乱することもなく取り組むことができます。

しかし、自由に過ごしてよい休み時間などになると、なにをしたらよいかわからず、不安になってしまうのです。

拘束も決まりもない状態は、自閉症の子どもにとっては居心地が悪く、不安をつのらせる状況をつくってしまいます。

「なにをしてもいい」「自分の好きなことをやりなさい」「適当にすませなさい」などのことばかけは、自閉症の子をひどく困惑させる元になります。

「休み時間はなにをして遊んでもいいのよ」などと言われると、わけがわからなくなり、パニック状態になることがある

アドバイス

「自由」が「不自由」に

自閉症の子どもにとって、「自由」ほど「不自由」なものはありません。好きな場所で自由に過ごしていいという時間は、大きな不安を呼び起こす原因になります。

時間だけでなく、自由に過ごせる空間というのも、自閉症の子どもには不安です。この部屋（場所）は勉強する場所、食事をする場所、本を読む場所、絵を描く場所、というように、具体的な目的がはっきり決められているほうが安心できるのです。

その意味で、多目的ルームのような広い空間は、自閉症の子どもにとっては、最も不安になる場所と言えます。

自閉症の子の不安とふつうの子の不安

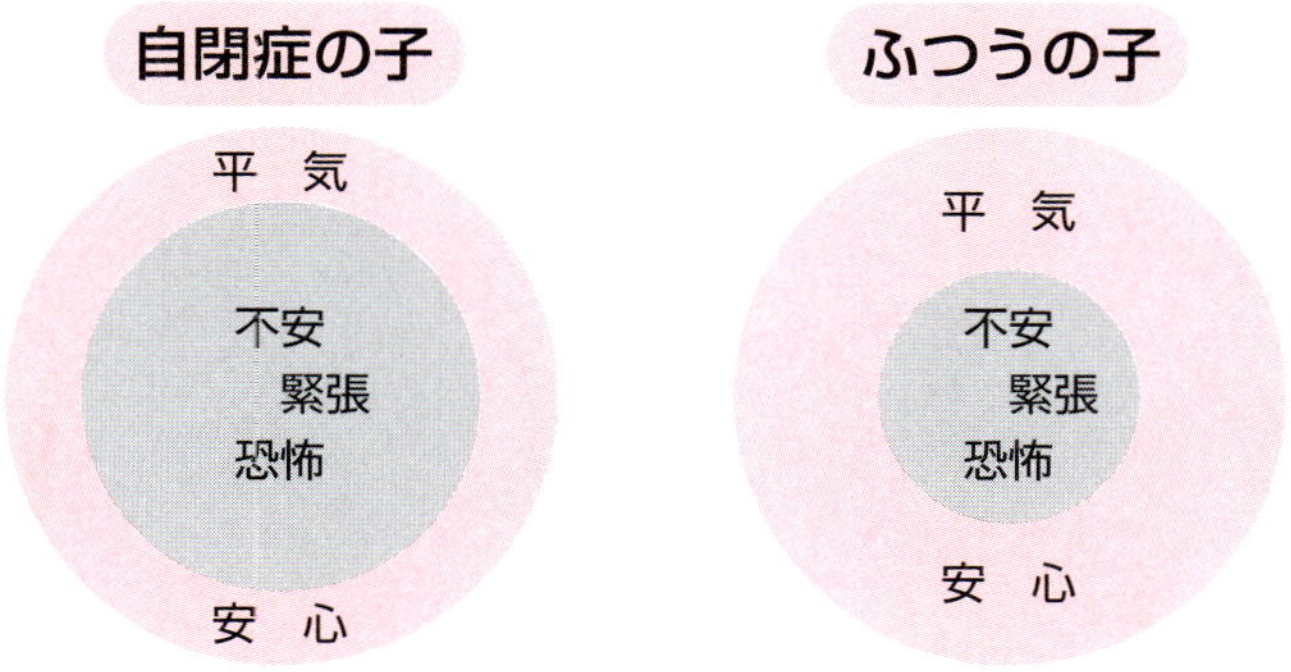

自閉症の子は不安・緊張・恐怖を感じる範囲が広い

自閉症の子は、不安や緊張をふつうの子よりも感じやすいと言えます。あいまいなことや見通しのつかないことが、ひどく不安に思え、パニックになってしまうことがあります。

「ちょっと」「きちんと」などが理解できない

親は「ちょっと待っていてね」「きちんとやりなさい」「そんなことをしてはいけません」などと声をかけがちですが、こうした指示や注意を受けたとき、自閉症の子どもはどうしたらよいかわからなくなってしまいます。

「ちょっと」とはどのくらいの長さなのか、「きちんと」とはどのような状態なのか、「そんなこと」とはどんなことなのか、それが自閉症の子どもにはわからないのです。

ふつうの子どもなら、経験上、どの程度「ちょっと」「きちんと」すればよいのかわかっていますし、「そんなこと」がどの行為をさしているのかも理解できます。しかし、自閉症の子どもには、こうした日常よく使われるあいまいな表現が理解できません。

「ちょっと」ではなく、「3時30分まで」「時計の長い針が6にいくまで」とか、「きちんと」ではなく、「10ページから12ページまで」「赤い印をつけたところまで」と具体的に指示する必要があります。

また、省略化したことばや、慣用的な言い方も通じません。たとえば、「お風呂を見てきて」と言うと、自閉症の子は、ただ風呂場を見てくるだけで、水の量を確かめるとか、湯加減を見るということができません。「お風呂の水があふれていないか見てきて」あるいは「お湯が熱くなりすぎていないか手で確かめてきて」のように、できるだけ細かく言わなければなりません。

叱《しか》る際も、「だめ」「やめなさい」「いけません」など、子どもの行為をただ否定するだけのことばは効果がありません。自閉症の子どもには、なにがいけなかったのか、どうしたらよいのかを理解することができないからです。

なにが悪いことで、それをやらないようにし、代わりにどのようにすればよいのかを、具体的に伝えてあげるようにします。

次ページに具体例をあげてありますので、参考にしてください。

あいまいなことばを使わずにわかりやすく話す

○

「3個食べなさい」「2個取って」というように数が数えられるものは、具体的な個数を示す。また、「ねえ、ちょっと」と手まねきされても、呼ばれていることがわからないので、「こっちに来て」と言う

×

「ちょっと」

「ちょっとだけなら食べてもいいよ」「キャンディをちょっと取って」など

「ちょっと」がどの程度なのかがわからない

○

範囲が示せるものは、「ここからここまで」「1から9まで」というように伝える。片づけ方などは、なにをどこにしまうのかを具体的に伝える

×

「きちんと」

「きちんとやりなさい」「きちんと片づけなさい」など

どの程度の完璧さを求められているのかがわからない

○

いつまでにやるのか、いつまで待てばいいのか、具体的な時間を示す。「時計の長い針が6にいくまでやりなさい」「あと5分でできるから待ってて」など

×

「早く」「もうすぐ」

「早くしなさい」「もうすぐできるから待っていてね」など

どのくらい急ぐのか、どのくらい待てばいいのかがわからない

×

否定的なことば

「だめ」「やめなさい」「いけません」など

やめるべきことをやめたあと、どのような動作に切り替えればよいのかわからない

○

歩き回っているのをやめさせるときは、「このいすにすわりなさい」、列に割り込んだときは、「いちばんうしろに並びなさい」と指示する

×

反語的表現

「こんなことをしてもいいと思っているの？」「いくつになったらわかるの？」など

ことばや文章は表面的な意味しか理解できないため、こちらの真意や意図がわからない。反語的な言い方をされても、本当の意味を察することができない

○

「泥あそびはやめて、手を洗いなさい」「よそ見をしないで、前を向きなさい」というように、ストレートに言う

×

慣用的表現

「手を貸して」「ごはんですよ」「お風呂を見てきて」など

字義どおりにしか解釈できず、ちぐはぐな返事をしたり、奇妙な行動を取ったりする

○

「手を貸して」と言われると「手は貸せない」と答えたりするので、「手伝って」と言う。また「ごはんですよ」と食卓に着くことを促すと「きょうはごはんではなくてスパゲッティです」などという反応が返ってくるので、「食事の時間だから来なさい」と声をかけるほうがよい

自閉症のサイン

相手の気持ちや立場を想像することができない

自閉症の子どもは目に見えないものを想像したり、人の気持ちを察したりすることができません。

顔の表情が読めず、気持ちがわからない

ふつうの子どもは、赤ちゃんのときから、いつもそばで見守ってくれるおかあさんやおとうさんに愛着を抱き、その顔を見つめ、表情やしぐさに反応しながら成長していきます。

その結果、親以外の人の表情や態度を見ても、相手の気持ちが読み取れるようになっていきます。

しかし、自閉症の子の場合は、生まれつき人への関心や愛着が薄く、人の表情を読んだり、気持ちを察したりするトレーニングができていません。そのため、大きくなっても、相手に対する配慮が十分にできないのです。

人とのかかわりをもたないから人が理解できない、理解できないからますますかかわりたくなくなる、というサイクルが生まれると言えるでしょう。

自閉症の子どもは、他人とどう接したらいいかわからないため、その場に合わない見当はずれな言動をして、誤解されることもあります。こんなことを言ったら、こんなふるまいをしたら相手がどう思うだろう、ということがわからないからです。

つまり、自分以外の人がなにかを考えたり感じたりする、ということが理解できないのです。

想像したり、空想したりするのが苦手

人の気持ちに配慮することは、想像力を働かせることにほかなりません。自閉症の子どもは、その「想像力」が乏しいため、他人のことばや表情、し

POINT

一風変わった遊び方

子どもがミニカーで遊ぶときは、自動車に見立てて床の上を走らせるのがふつうです。しかし、自閉症の子どもはミニカーを手にすると、タイヤを手でグルグル回してその動きをひたすら見つめる、といった遊び方をします。

自閉症の子どもは細部にこだわる性質があり、ミニカーを全体として見るよりも、タイヤの動きに気が向きやすいということも、そうした遊び方をする理由のひとつと言えます。

他人の気持ちを理解する力や想像力が不十分

他人の立場やおかれた状況、場の雰囲気を読むことが苦手

顔の表情を見ても、その表情の背後にある感情（喜怒哀楽など）を理解することがむずかしい

ままごとやヒーローのまねをするなど、自分がだれかの役を演じる、ごっこ遊びができない

つみ木を自動車に見立てて遊ばず、ただ一列に並べて遊んだりする

ぐさなどから、他人の気持ちを想像することが苦手です。

ですから、だれかが「もし、私が○○だったら……しようと思う」というような空想の話をしても、なかなか理解できません。

実際、幼児期のほとんどの子どもが大好きな「ごっこ遊び」も、自閉症の子どもにはうまくできません。「おかあさん」や「赤ちゃん」になったつもりで、現実の自分以外の人物になって、演じることができないからです。

また、おもちゃの電車を本物の電車に見立てて、「ガタンゴトン」と言いながら線路の上を走らせるといった遊び（見立て遊び）もできません。自閉症の子どもには、おもちゃの電車と本物の電車はまったく別物にしか思えないからです。

ただし、同じ自閉症の子どもでも、想像力の程度には個人差があり、人の表情から気持ちをある程度察することができる子もいます。そうした子どもの場合は、ごっこ遊びや見立て遊びができることもあります。

自閉症のサイン

突然、感情が爆発し、パニックがおさまらない

急に感情が爆発し、周囲の大人が手をやくことがあります。こうした行動にも、それなりの原因があるのです。

いきなりパニックになり周囲を困惑させる

自閉症の子どもは、いきなり大声を上げたり、泣き出したり、かんしゃくを起こしたりすることがあります。泣き方や怒り方、騒ぎ方が激しく、周囲の大人が「やめなさい」と声をかけても、なかなかおさまりません。

なぜ、突然パニックを起こしたのか、その原因がわからないことが多いので、自閉症の子どもは「かんしゃくもち」だとか、「怒りっぽい」「キレやすい」といったレッテルを貼られがちです。

しかし、パニックになる原因は必ずあります。その理由が、まわりにいる人には理解しにくいため、「理由のない、突然のパニック」と見られてしまうのです。

パニックの原因の多くは、強い不安や緊張、興奮などです。ふつうの人でも、不安や緊張が強まるとパニックにおちいることがありますが、自閉症の子どもには感覚過敏や変化への不適応などがあるため、それほど不安がる必要のない出来事や状況でも、強い不安が引き起こされます。

さらに、自閉症の子どもは、その不安や緊張を自分でコントロールする能力も低いために、パニックになりやすいと考えられます。

腕をかむなどの自傷行為に至ることも

パニックが強くなると、自傷行為に至ることもあります。

具体的には、自分の頭を手で強くた

POINT

パニックになる原因をつくらない

自閉症の子どもがパニックになりやすい状況を回避すれば、パニックを起こさずにすみます。子どもをよく観察し、パニックにおちいったときの行動や状況を分析して対策を考えておきましょう。

たとえば、手順を変えたがらない子どもには、できるだけ手順を変えなくてもすむように対応したり、不快な音が耐えられない子どもには、不快な音が聞こえないような環境づくりをするなど、ひとりひとりの特性に合わせた、生活の工夫が必要です。

たいたり、頭や体を壁に打ちつけたり、手や腕をかむなどの行為が見られます。

しかし、これも自閉症に特有の行動というわけではありません。たとえば、ふつうの赤ちゃんでも、ベビーベッドの柵に自分の頭を打ちつける「ヘッド・バンギング」という行動を起こすことがあります。

これは、強いストレスが原因となるもので、自分の体を痛めつけ、痛みに気持ちを向けさせることで、強い不安や緊張の感じ方を鈍化させようとする本能的な行為です。

自閉症の子どもが自傷行為に至るのもまったく同じ理由です。ですから、そうした行動に出ているということは、それだけ強いストレスを感じているのだと理解すべきです。

部屋の様子が変わったとか、いつもとは違う道を通らなければならなかったなど、自閉症の子どもにとって強い不安を引き起こさせるような原因をつくらないよう、生活上の配慮をすることによって、こうした自傷行為を防ぐことができます。

かんしゃくやパニックを起こしたときの対処法

1 パニックの状態をすぐにしずめようとしない。ある程度、気持ちを発散させることも必要なので、しばらく様子を見る

2 頭を壁に打ちつけるなどの危険な行為の場合も、無理にやめさせようとすると逆効果になる。壁にクッションを当てるなどして、けがをさせないように注意する

3 しばらくして、かんしゃくやパニックがおさまりかけてきたら、お菓子やおもちゃなど、子どもが気に入っているものをそばに置いて、気分が変えられるようにする

4 かんしゃくやパニックが完全におさまったら、「○○がいやだったんだね」「○○してほしかったんだね」とおだやかな口調でやさしく語りかける

自閉症の子どもとの接し方――7つのポイント

自閉症の子どもには独特の心理的特徴があります。
そのことをよく理解し、私たちのほうから歩み寄ることが大切です。

ポイント

1 一般的なルールに従わせない

自閉症の子どもは、私たちと同じような感情や感覚をもっておらず、別の文化・価値観の世界に生きているようなものです。そして、その感情や価値観を変えることはできません。

たとえば、「おはよう」というあいさつができない子どもには、「朝はおはようとあいさつするのよ」などと教えるのではなく、「そういう子どもだ」と受け入れ、こちらからのあいさつは欠かさないようにします。

ポイント

2 ことばがわからないときは、絵や写真、図で示す

ことばがわかる自閉症の子どもであっても、ふつうの子どもと同じ程度に理解することは困難です。長い文章でくどくどと説明しても伝わらないので、短いことばで簡潔に指示を出してあげましょう。

自閉症の子どもは、ことばを聞いて理解するより、目で見て理解するほうが得意です。ことばで通じないときは、絵や写真、図を使って教えてあげましょう。

ポイント

3 注意するときは、おだやかに話す

自閉症の子どもは、大声で話しかけられると、怒られているように感じて、ひどくこわがります。恐怖心や不安があまり強くなると、パニックを起こすこともあります。こちらから話しかけたり、注意したりするときは、おだやかな声で静かに話すようにします。

ポイント

4 うまくできたときは、ほめる

約束を守ることができたとき、課題がこなせたとき、がまんすることができたときなどは、ほめてあげましょう。

自閉症の子どもは人にほめられることで、達成感や新たな意欲がわく度合いが私たちより低いようですが、自分を肯定されることで、安心感を得ることはできると考えられます。「不安にならずにすむ」ということは、心の安定につながりますから、その意味でもほめることは必要です。

ポイント

5 問題行動は、許容範囲を決める

ひとりごとをつぶやいたり、体を揺らしたり、物のにおいをかぐなど、奇異な行動をすることがあります。これは、自分の気持ちを落ち着かせるためにしている行為であることが多いのです。ですから、危険性が高いとか、周囲の人を不快にさせるなど、実害があるものを除いては、周囲の理解を得ながら、ある程度認めてあげることも大切です。

次ページに続く

ポイント

6 話しかけられたら、静かに聞き、必要に応じて答えてあげる

自閉症の子どもは会話ができないと決めつけずに、子どもが話しかけてきたり、要求してきたりしたときは、話をよく聞いてあげ、要求に応じてあげましょう。質問されたときは、ていねいに答えてあげてください。人とのコミュニケーションが安心してとれるようになることは、自閉症の子どもがソーシャルスキルを身につけていくうえで、大きな意味があります。

ポイント

7 文化もことばも違う外国人に接するつもりで

感情や感覚、価値観が私たちとは異なり、ことばも通じない（通じにくい）自閉症の子どもは、いわば文化も言語も違う外国人のような存在です。だれもがわきまえているマナーや常識を知らなくても不思議はありません。なにかを教えてあげるときも、外国人に教えるように、「わかりやすく、ていねいに」を心がけましょう。

ものをいただいたときは「ありがとうございます」というのよ

アドバイス

ソーシャルスキルを養うことが大切

将来、自立して社会人として生活していくために必要とされながら、自閉症の子どもに欠けているのが、「ソーシャルスキル」です。

ソーシャルスキルとは、社会のなかで他人とともにコミュニケーションをとり、共生していくために必要な技術・能力のことです。

なかでも、コミュニケーション能力は、代表的なソーシャルスキルで、自分の考えを相手に伝えたり、相手や状況に応じた適切な言動をとったりする能力をさします。

コミュニケーションは自閉症の子どもが最も苦手とする分野です。しかし、たとえ、ことばが使えなくても、ほかの手段で補う工夫をし、必要最小限の意思疎通がはかれるように生活指導をしていくことが大切です。

2章

自閉症とは どのような病気か

自閉症は「発達障害」に含まれる

最近、発達障害のなかでも、知的な遅れのない、軽度発達障害の存在が知られるようになり、注目されています。

通常学級に通う6・3%が支援を必要としている

日本では、１９７０年代まで、発達障害と言えば、多くは精神遅滞をさしていました。近年、発達障害の中核となる病気（障害）群は変わってきています。

２００２年に文部科学省が全国の通常学級に通っている小学生・中学生を対象に行った調査では、「知的発達の遅れはないものの、特別な教育的支援を必要とする」児童生徒の割合は、全体の6・3%、数にして68万人と報告されました。

その内訳を見ると、ＬＤ（学習障害）の疑いが4・5%（49万人）、ＡＤＨＤ（注意欠陥多動性障害）が2・5%（27万人）、広汎性発達障害（自閉症、アスペルガー症候群）が0・8%（9万人）となっています（1人で複数の障害を合併しているケースがある）。

精神遅滞の割合は約1・6%ですから、その4倍もの数の子どもが、なんらかの発達障害を抱えながら、通常学級に在籍し、特別な支援を必要としていることが明らかになったのです。

この実態を受け、国も「発達障害者支援法」を制定するなど、発達障害のある子どもたちを支援する取り組みを始めているところです。

「発達障害者支援法」のなかで、「発達障害」は、「自閉症、アスペルガー症候群その他の広汎性発達障害、学習障害、注意欠陥多動性障害、その他これに類する脳機能の障害であって、その症状が通常低年齢において発現するもの」と定義されています。

障害の領域が多岐にわたる広汎性発達障害

自閉症は、発達障害のなかの「広汎性発達障害」に分類されます。広汎性発達障害とは、障害の見られる領域が1つや2つではなく、たくさんあるという意味です。

たとえば、ＬＤ（学習障害）では、文字の読み書きや計算の能力のうち、特定の能力が低いのですが、ほかの全般的な能力には問題がありません。

これに対し、自閉症やアスペルガー症候群では、認知や感覚、言語など、さまざまな領域における能力が水準に達しておらず、著しいばらつきが見られます。つまり、障害のある領域が広範囲にわたることから、広汎性発達障害と呼ばれているのです。

学習に困難をきたしている子どもたちの実態

通常学級に通う小中学生の約6.3%に発達障害の疑いがある（全国の小中学校に約68万人いる）

ＬＤ（学習障害）の疑い

聞く、話す、読む、書く、計算する、推論するなどの学習に著しい困難を示す

勉強ができず、自信喪失する

ADHD（注意欠陥多動性障害）の疑い

不注意、または多動性、衝動性の問題を著しく示す

落ち着きがないため、教室内でトラブルを起こすことが多い

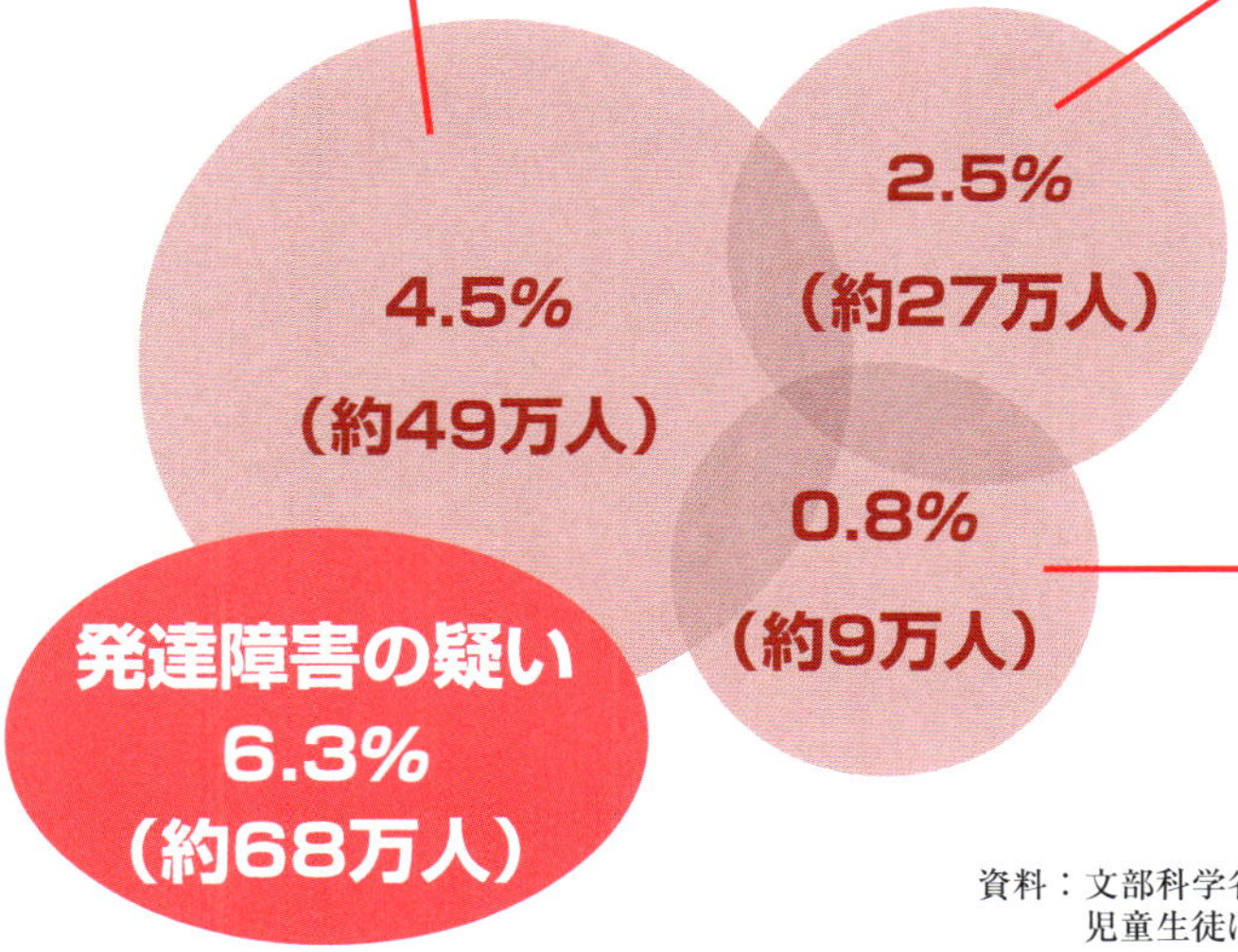
4.5%
（約49万人）
2.5%
（約27万人）
0.8%
（約9万人）
発達障害の疑い
6.3%
（約68万人）

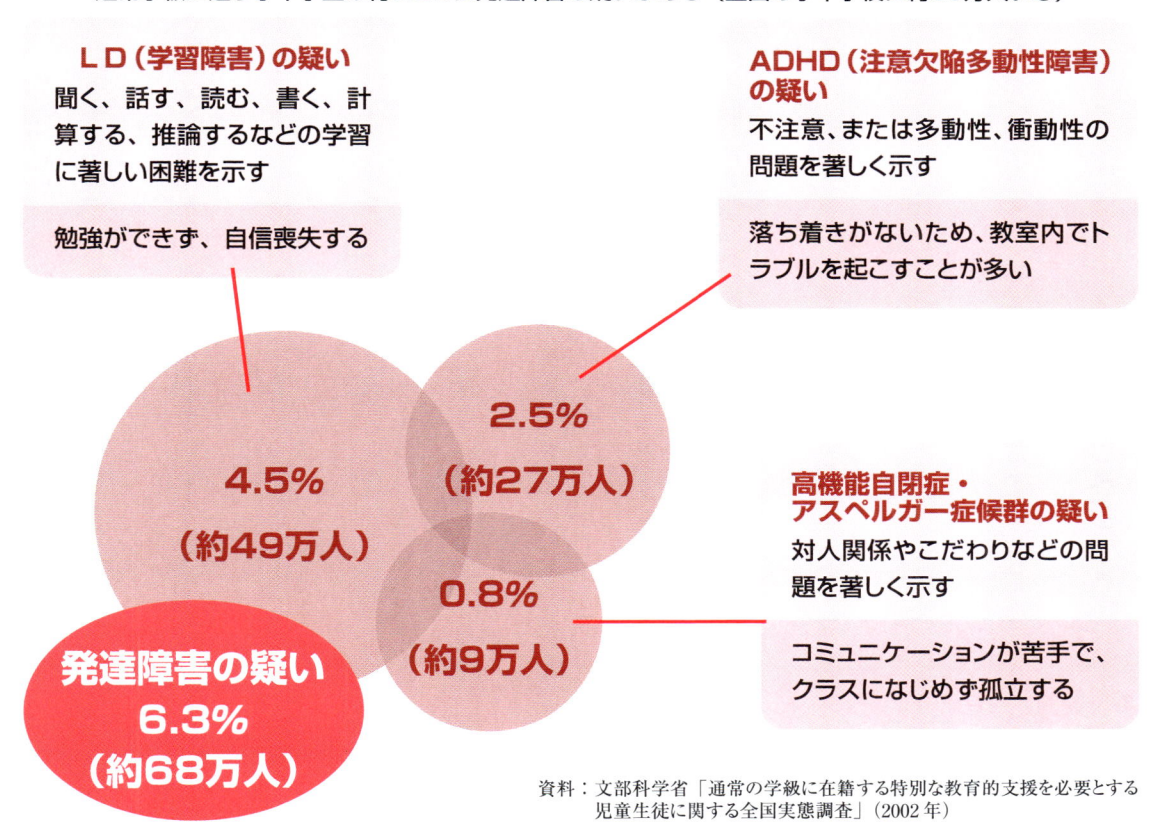

高機能自閉症・アスペルガー症候群の疑い

対人関係やこだわりなどの問題を著しく示す

コミュニケーションが苦手で、クラスになじめず孤立する

資料：文部科学省「通常の学級に在籍する特別な教育的支援を必要とする児童生徒に関する全国実態調査」（2002年）

発達障害の分類

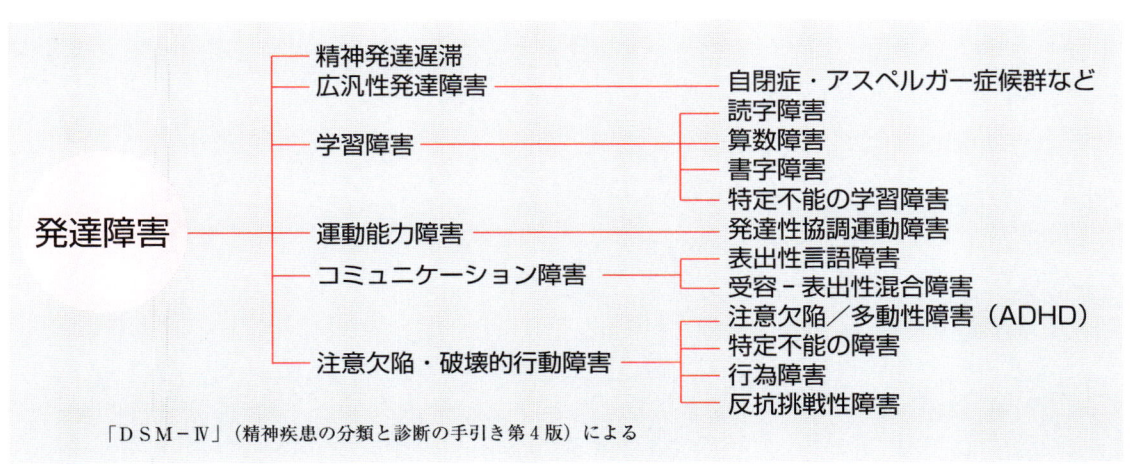

- 発達障害
  - 精神発達遅滞
  - 広汎性発達障害
    - 自閉症・アスペルガー症候群など
  - 学習障害
    - 読字障害
    - 算数障害
    - 書字障害
    - 特定不能の学習障害
  - 運動能力障害
    - 発達性協調運動障害
  - コミュニケーション障害
    - 表出性言語障害
    - 受容－表出性混合障害
  - 注意欠陥・破壊的行動障害
    - 注意欠陥／多動性障害（ADHD）
    - 特定不能の障害
    - 行為障害
    - 反抗挑戦性障害

「ＤＳＭ－Ⅳ」（精神疾患の分類と診断の手引き第４版）による

自閉症の特徴

「自分の世界に閉じこもる病気」ではない

「自閉」ということばには、自分の殻に閉じこもるというイメージがありますが、「自閉症」は心を閉ざし、引きこもる病気ではありません。

コミュニケーション障害が第一の特徴

自閉症は、１９４３年、アメリカのレオ・カナーという精神科医によって世界で初めて紹介されました。

そのとき、カナーが、統合失調症に見られる症状である「自閉的（現実から離れ、自分自身の世界に引きこもる傾向）」ということばを使って、この病気を紹介したため、「自閉症」という名で呼ばれるようになりました。

その後しばらくは、自閉症は子どもがかかる統合失調症ではないかと考えられていました。

現在では、自閉症は統合失調症とはまったく異なる疾患であることが明らかになっており、その症状が、統合失調症の自閉傾向とは異なるものであることも、広く理解されています。

自閉症の子どもには、他人とコミュニケーションをとるのがむずかしいという障害がありますが、それは、彼らが意図的に、現実からかけ離れた自分の世界をつくり、その中に閉じこもっているということではありません。

私たちが自閉症の子どもとコミュニケーションをとろうとしたとき、適切な返答や反応ができない場合がよくありますが、それは、わざと自分の殻に閉じこもり、私たちを無視したり、見当違いの返事をしたりしているのではありません。

彼らは、本当に、話しかけられたことばの意味や意図が理解できないために、ふつうの人ができるような適切な対応がとれないのです。

アドバイス

自閉症と引きこもり

自閉症は、他人とのかかわりを拒否して自室にこもる「引きこもり」とも、まったく異なります。

引きこもりは発達面では障害がなく、それまで、ふつうに社会的活動を営んでいた子どもが、なんらかの社会的・心理的要因のために、ある時点から、家族や他人とのコミュニケーションを自発的に絶ち、自分の世界に閉じこもるもので、その背景にある状態は一様ではありません。

自閉症の場合は、社会的活動を行うことがもともと困難であり、幼少のときから、他者とのコミュニケーションがうまくとれないのが特徴です。

自閉症は生まれつきの障害

自閉症の原因はよくわかっていませんが、脳になんらかの先天的な障害があり、それがさまざまな症状を引き起こしている、という見方が定着しています。

つまり、もって生まれた障害であって、育っていく過程における、親のかかわり方や環境が影響して発症する病気ではありません。

以前は、自閉症は親の愛情不足やしつけが原因となって発症する「心の病」ではないかと考えられていました。周囲の人からそのように見られ、また、親自身もそのように思い込み、自らの育て方やしつけが間違っていたのではないかと苦悩してきた例は少なくありません。

現在は、しつけや育て方は自閉症の発症とまったく関係なく、ストレスや心理的要因が関与して、後天的に発症する「心の病」ではないことも、多くの医師が認めています。

育て方が原因と思うのは誤り

ストレスや心理的要因がかかわって発症する「心の病」ではない
親の子どもに対するしつけのよしあしが原因となることはない
親の愛情不足や過保護などが原因ではない
自分の世界にこもり、他者とのかかわりを自ら遮断してしまう「引きこもり」とも異なる

自閉症の子どもをもつ親は、自分の養育方法に問題があるのではないかと悩み、強い自責感を抱く傾向がありますが、それは大きな誤りです。できるだけ早期に発見し、専門機関の協力や助言を得ながら、子どもを育てていくことが望まれます。

自閉症の特徴

脳の機能障害がかかわっている

自閉症の原因はまだ解明されていません。しかし、最近の脳科学の研究から、脳の複数の部位の機能障害が発症に関連していると考えられるようになりました。

認知・感情・情動をつかさどる部位の発達障害

　自閉症の原因はいまだによくわかっていません。外的な原因があって二次的に発症する疾患ではなく、生まれつき、脳内になんらかの障害があって発症するものであることまでは理解されていますが、脳のどの部分の、どのような障害が、どのような症状を引き起こしているのかということを具体的に示す科学的証拠は、まだ見つかっていません。

　ただし、最近の脳科学の研究によって、脳内の特定の部位の血流量や形態異常、脳波などから、症状を引き起こしている原因をある程度推測することは可能になってきています。

　最新の研究では、脳の3つの部位が注目されています。

① 右の側頭葉《そくとうよう》

　人の表情や動作を見て、その意図・意味を理解する部分です。自閉症の人の場合、この部分の働きがふつうの人と比べてあまりよくないことがわかっています。

② 前頭前野《ぜんとうぜんや》

　この部分は、人の気持ちを理解する機能をもっており、ここの働きも、自閉症の人は活発ではありません。

③ 扁桃体《へんとうたい》

　扁桃体は、恐怖や不安、快・不快などの情動にかかわる部位で、自閉症の人は、ここの働きもよくありません。

　これらの3つの部位を含め、脳内のいくつかの部分の障害が自閉症の発症に関与していると見られています。

POINT

言語中枢の障害だけではない

　自閉症が「心の病」ではなく、先天的な「脳の障害」であることを最初に提唱したのは、イギリスの医師、マイケル・ラターです。

　1960年代後半、ラターは、自閉症の特徴的な症状のひとつが、ことばの遅れであることを踏まえ、自閉症は言語機能をつかさどっている「左脳」の障害ではないかと考えました。

　しかし、その後の研究で、自閉症という障害の中心的な症状が「ことばの遅れ」ではなく、広く、「コミュニケーションの障害」であると理解されるようになり、脳の障害の部位も、言語中枢のある左脳だけではなく、複数の部位にわたると考えられるようになっています。

自閉症とかかわる脳の機能障害

側頭葉

人の表情や動作を見て、その意図や意味、感情などを理解する機能にかかわる

↓ 障害されると

人の表情を読んだり、その真意を推しはかることがむずかしくなる

前頭前野

人の立場に立って考えたり、人の気持ちを理解したりする機能にかかわる

↓ 障害されると

相手の身になって考えたり、その人だったらどうするだろう、どう思うだろうという想像ができなくなる

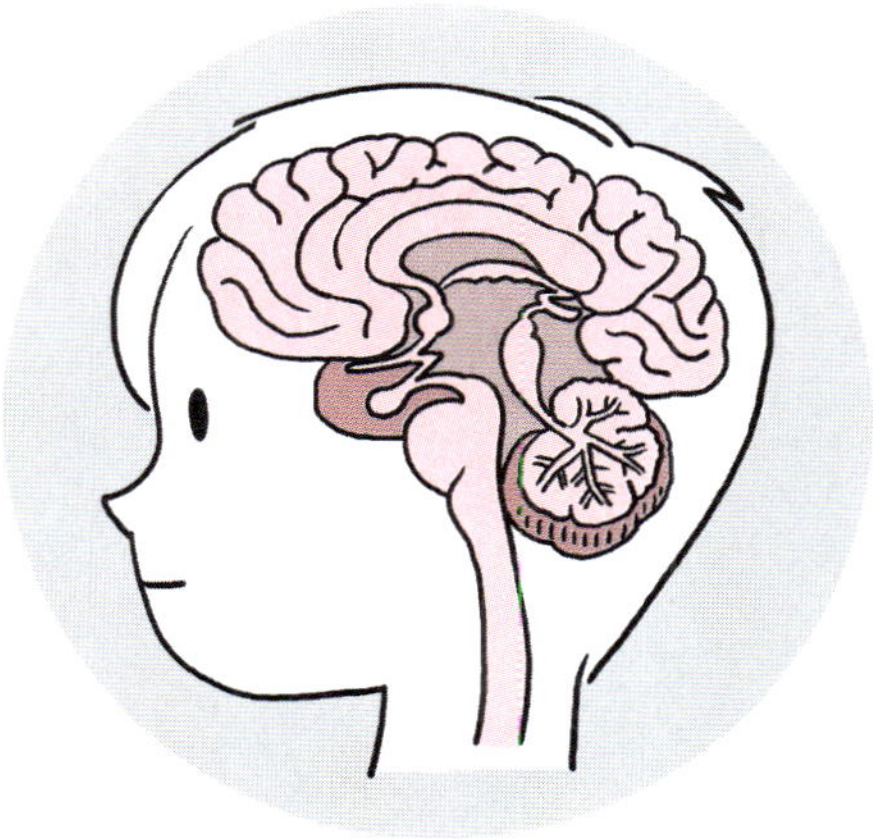

扁桃体

本能的な恐怖や不安、快・不快などの情動にかかわる

↓ 障害されると

情動がうまくコントロールできなくなり、ささいなことをひどく怖がったり、不快に感じたりする

てんかんに特有の脳波異常が見られる

自閉症の子どもの15～25%が、てんかん発作を伴うと言われています。発作を起こさない人も含めると、自閉症全体の約半数に、てんかんに特有の脳波異常が見られることもわかっています。このようなデータも、自閉症が脳の疾患だと推測させる根拠となっています。

また、自閉症では、脳内の情報伝達の役割を担っている、神経伝達物質の関与が明らかになっていません。

たとえば、うつ病ならセロトニン、ADHD（注意欠陥多動性障害）ならドパミンとノルアドレナリンというように、一部の心の病や脳の障害では、特定の神経伝達物質が多すぎるか、少なすぎることが発症とかかわっていると言われています。

特定の神経伝達物質の関与がないということから、自閉症は脳の特定の部位の障害ではなく、脳の全体的な障害ではないかと考えられています。

遺伝子の異常が深くかかわっている

自閉症には、遺伝子が関与していると考えられています。一卵性双生児のひとりが自閉症の場合は、もうひとりも自閉症であることが多いからです。

親から受け継がれる病気とは異なる

自閉症は生まれつきの障害です。この「生まれつき」には、二通りの意味があります。

一つは、受精卵となったときから、すでに遺伝子に異常があって障害が起こる遺伝子病です。もう一つは、遺伝子異常はないものの、母親の胎内で成長する過程で、なんらかの外的な影響（ストレスやある種の化学物質の影響など）があり、障害をもって生まれてくる先天異常です。

自閉症は、前者の遺伝子病と考えられています。実際、一卵性双生児のひとりに自閉症が見られる場合は、もうひとりも自閉症である割合が40〜98%と、きわめて高いことが知られています。これが、二卵性双生児やきょうだいの場合は5〜10%まで低下します。親子間でも、自閉症をともに発症する確率はあまり高くないと言われています。

一卵性双生児では遺伝子の一致率が100%であるのに対し、二卵性双生児では50%です。同じ遺伝子をもっていればそれだけ自閉症になりやすいということは、遺伝子と障害に深いかかわりがあることを意味しています。

ちなみに、高機能自閉症と似たアスペルガー症候群の場合、親がアスペルガー症候群だと、子どももそうなる確率が高いと言われています。

自閉的症状を示す遺伝性の病気もある

自閉症が遺伝子と関連していると考

POINT

自閉症に関連する遺伝子は数多い

最近、国内外で、自閉症の発症にかかわる遺伝子の発見が相次いでいます。自閉症の人やその家族の遺伝子を詳細に調べたり、実験動物である種の遺伝子の働きを抑制し、その動物が自閉症のような症状を示すかどうかを調べたりして、成果を得たものです。

自閉症に関連する遺伝子はいくつか見つかっていますが、そのうちのどれかひとつが自閉症の発症に決定的にかかわっているということはありません。おそらく、何十もの遺伝子が関与していると考えられます。こうした遺伝子研究が進み、自閉症の発症のしくみが解明されれば、治療への道も開けていくことになるでしょう。

えられるそのほかの理由として、自閉症と似た症状を示す遺伝性の病気があることがあげられます。

そのひとつが「結節性硬化症《けっせつせいこうかしょう》」という、全身に良性の腫瘍《しゅよう》ができる病気で、てんかんと精神遅滞を併発し、その20～25%が自閉症状を伴います。この病気では原因となる遺伝子がわかっており、その遺伝子の異常によって発症します。

また、「脆弱《ぜいじゃく》X症候群」と呼ばれる遺伝子病では、精神遅滞と自閉症状が現れることもあります。この病気は、性染色体のひとつであるX染色体上の遺伝子異常が原因で発症することがわかっています。

自閉症のような症状を示すこれらの病気が、遺伝子の異常が原因で起こることを考え合わせると、遺伝子と自閉症状には、やはり、なんらかの関連があると見て間違いないでしょう。

海外では、これらの病気の遺伝子研究を進めることで、自閉症という病気の解明につなげようとする取り組みも始まっています。

自閉症の発症には遺伝子がかかわっている

自閉症は遺伝子の異常が大きな原因となって発症する病気です。同じ双生児でも二卵性双生児ではふたりとも自閉症になる確率は低く、親子やきょうだいでもともに発症する割合が少ないことがわかっています。

二卵生双生児の場合は、ふたりとも自閉症になるケースは少ない

一卵性双生児では、ふたりとも自閉症である確率が高い

自閉症にはいろいろなタイプがある

自閉症の子どもの約8割に、知的障害が見られます。知的障害の程度によって、症状の重さ、経過のよしあしにも違いが現れてきます。

知的障害の程度が症状の軽重にかかわる

自閉症の特徴的な症状は、①ことばの発達の遅れ、②対人関係のむずかしさ、③特定の物や場所へのこだわり（忌避）の3つです。一般的には、この3つの症状がすべてそろっている障害を自閉症と呼びます。

さらに、自閉症の子どもの約8割には、知的障害が伴います。知的障害とは、知的機能（主に読み書きをする能力）の発達水準が低い状態のことで、具体的な目安としては、ＩＱ（知能指数）70未満をさします。

知的障害の程度は、自閉症の症状の重さに直結するもので、知的障害が重ければ「重い自閉症」、知的障害が軽ければ「軽い自閉症」と言い換えることができます。

このうち、知的障害の軽い（目安としては、ＩＱ70以上）自閉症を、「高機能自閉症」と呼んでいます。高機能自閉症の場合は、ことばの発達障害はなく、その意味をある程度理解し、使うことができるようになります。高機能自閉症は、自閉症全体の約2割いると見られています。

通常は、診断時の知的レベルが高い子どもは、その後の発達も比較的順調ですが、知的レベルが低い場合は、発達も遅れがちになります。

自閉症のタイプは4つの視点で判断される

自閉症は、3つの特徴的な症状の現れ方と、知的障害の程度を合わせた、4つの視点から、そのタイプを判断することになります。

たとえば、ことばはよく理解し、知能も高いのに、人とのかかわりがまったくもてず、こだわりが強くてパニックにおちいりやすい、という自閉症もあります。

また、ことばはほとんど理解できず、人と共感することもできないが、こだわりはそれほどない自閉症もあります。

ひとくちに「自閉症」と言っても、3つの症状と知的レベルの程度には個人差があり、その組み合わせによって、さまざまなタイプの自閉症があるということです。

医師が自閉症の子どもを診断するときは、4つの視点から、その子どもがどのようなタイプの自閉症であるかを詳細に見ていきます。

自閉症は4つの視点で判断する

1
ことばの発達の遅れ
（軽い←→重い）

2
対人関係のむずかしさ
（平易←→困難）

患者によって、4つの項目における症状の重さは異なる

4つの症状の程度を組み合わせて、自閉症のタイプ（傾向）を判断する

3
物や場所へのこだわり
（弱い←→強い）

4
知的障害
（軽い←→重い）

自閉症のタイプと知的障害の程度

知 的 障 害

重い　中程度　軽い　なし

典型的な自閉症

知的障害があり、文字やことばが理解できないため、言語能力は低く、コミュニケーションがとりにくい。ただし、絵やカードを使ってコミュニケーションをはかることは可能。

高機能自閉症

知的障害があまりなく、文字やことばも理解でき、言語能力はあるので、コミュニケーションが比較的とりやすい。しかし、対人関係のむずかしさや、特定の物へのこだわりなど、ほかの自閉的症状がある。

非定型自閉症もある

ことばの遅れ、対人関係の困難、物や場所へのこだわりや嫌悪の3つの症状を備える典型的な自閉症とは言えないまでも、これらのうちの2つが当てはまるというケースもあります。この場合は、「非定型自閉症（広汎性発達障害）」に分類されます。

非定型自閉症も、一般的な自閉症と同じようなアプローチのしかたで対応・サポートしていくことが求められます。

「自閉症」という病名が当てはまらない子もいる

典型的な自閉症ではなく、高機能自閉症やアスペルガー症候群なども含め、自閉症を大きなくくりでとらえる見方が広がっています。

ほかの自閉性障害と区別しない考え方もある

近年、「自閉症」の定義が拡大され、ことばの遅れと知的障害が明らかな「典型的な自閉症」だけでなく、さまざまなタイプの自閉性障害が、自閉症に近い発達障害として認められるようになってきました。

そのなかには、知的障害がなく、ことばが話せる自閉症や、特徴的な症状があまり強く現れない自閉症、自閉症の診断基準をすべて満たしていない自閉性障害などがあります。

このうち、知的な遅れのない自閉症を「高機能自閉症」、ことばの遅れがない自閉症を「アスペルガー症候群」として、従来の自閉症とは区別してとらえる見方もあります。

一方で、高機能自閉症やアスペルガー症候群、その他の非定型自閉症などもすべて含め、「自閉症スペクトラム」という同じ枠組みの中で、同じ病気の仲間としてとらえる見方も出てきています。

「スペクトラム」とは、英語で「連続体」という意味です。つまり、典型的な自閉症か、高機能自閉症か、アスペルガー症候群かという区別を明確にするのではなく、これらのすべてを「自閉症スペクトラム障害」という大きなひとくくりとしてとらえる考え方です。

知的遅れが重いか軽いか、言語能力が高いか低いかなど、さまざまな観点から連続体をつくり、その中でひとりひとりの状態がどこに位置づけられるかを見ることで、子どもに必要なサポートをきめ細かく判断できます。

自閉症スペクトラムのメリット

- 子どもの得手不得手が明確になり、サポートが必要となるポイントがとらえやすい
- 成長とともに変化する子どもの状態・症状を柔軟にとらえることができる
- 病気か否かのボーダーラインを引かないことで、偏見・差別が生まれにくい

成長とともに症状も変化する

自閉症を中心とした自閉性障害を「自閉症スペクトラム」としてとらえることには意味があります。

子どもの自閉性障害では、診断がついたあと、成長とともに、症状の現れ方が変化することがよくあります。たとえば、ことばが出なかった子どもがしだいに話せるようになったり、強く現れていた特徴的症状が弱まったりすることもあります。

その際、最初に当てはめた病名が適さなくなることもあるのです。

また、自閉症の場合、ＡＤＨＤ（注意欠陥多動性障害）など、ほかの発達障害を合併しているケースも少なくありません。これらの発達障害も広く視野に入れて、ひとつの病名にこだわらず、子どものありのままの状態を的確にとらえることが大切です。

そうすることが、ひとりひとりへの適切な治療・サポートにつながると言えます。

自閉的連続体

1～4の番号は、1が障害・遅滞が最も重い人の傾向、4が障害・遅滞の最も軽い人の傾向を示します。

項目	1	2	3	4
社会的相互作用	孤立と無関心	物的要求の働きかけのみ行う	働きかけの受動的受け入れ	異様な一方的働きかけを行う
対人コミュニケーション（言語・非言語）	コミュニケーションの欠如	要求のみ行う	働きかけがあれば応答する	自発的に行うが、反復的で一方的、奇妙
対人的イマジネーション	イマジネーションの欠如	機械的に人をまねる	人形、玩具等を正しく用いるが断定的、非創造的で反復的	ひとつのテーマを繰り返し演じる。他児を「機械的補助具」にすることがある
自分が選んだ活動の反復的パターン	単純で、身体に向けた	単純で、物に向けた	複雑な決まり、物の操作や動作	言語的、抽象的
形式的言語のシステム	言語の欠如	断定的、多くはエコラリア（オウム返し）	代名詞、前置詞の誤った用法、語句の自己流用法、奇妙な構文	文法的に正しいが、回りくどく反復的、語義そのままの解釈
感覚刺激への反応	非常に目立つ	目立つ	ときにはある	ごくまれにか、まったくなし
身体運動	非常に目立つ	目立つ	ときにはある	ごくまれにか、なし
突出的技能	突出的技能なし	ひとつの技能は比較的すぐれているが、それも暦年齢水準より劣る	ひとつの技能は暦年齢に相当するが、それ以外は暦年齢水準よりかなり劣る	ひとつの技能が暦年齢を超えた高いレベルにあり、他の能力とは際立つ

ウタ・フリス編著『自閉症とアスペルガー症候群』／ローナ・ウィングの論文「3. アスペルガー症候群とカナーの古典的自閉症」より

自閉症の子どもは増えている?

知的な遅れのない高機能自閉症が診断されるようになったことで、自閉症と診断される子どもの数は増えています。

自閉症と診断される子どもは10倍も増えた?

近年、日本だけでなく、世界的に、「自閉症の子どもが増えている」「自閉症の発症率が高まっている」といった話を見聞きするようになりました。

たしかに、数字を見ると自閉症の子どもの数は増えています。

日本では、１９６０年代には自閉症の発症率は人口１万人当たり４~５人と言われていましたが、１９９０年代から急増し、最近では１０００人に１人、広義の自閉性障害（アスペルガー症候群も含む）で見れば、１００人に１人とも言われています。

アメリカの場合を見ても、１９７０年代には約２５００人に１人の割合だった発症率が、１９９０年代には約２

高機能自閉症

アスペルガー症候群

「自閉症」と診断されるようになった

かつては自閉症と診断されなかった「高機能自閉症」や「アスペルガー症候群」も診断されるようになった結果、全体数が増えた

自閉症と診断された子どもを男女の数で比較すると、男子4：女子1の割合になる

50人に1人と、20年の間に約10倍に増加したというデータが報告されています。

高機能の診断がつき、見かけ上、増加している

では、本当に自閉症の子どもは増えているのでしょうか。

「自閉症」と診断のつく子どもが増えていることは確かです。しかし、そのことが単純に「自閉症の増加」とは言い切れないことに注意しなければなりません。

自閉症と診断されるようになったケースのなかには、かつては自閉症という診断がつかなかったケースも含まれるからです。

たとえば、重度の自閉症と精神遅滞（知的障害）は、見極めるのがきわめてむずかしいケースがあります。

重度の自閉症の場合は、ことばをまったく発しません。症状だけを見ていると、精神遅滞なのか、重度の自閉症なのか見分けがつかないこともあるのです。

しかし、自閉症の研究が進むにつれ、自閉症の診断基準や診断マニュアルが確立され、最近では、より多くの医師が2つの障害を鑑別できるようになってきました。その結果、以前なら、「精神遅滞」と診断されたかもしれない子どもが、正確に、「自閉症」と診断されるようになったのです。

これとあわせ、言語能力の高いアスペルガー症候群や、知的障害のない高機能自閉症が認知されはじめ、自閉症の一群として診断されるようになったことも、患者数増加の一因にあげられます。

「自閉症は言語能力が低い」という従来の固定観念にとらわれ、自閉症とは診断されなかった子どもたちが、いまでは「言語能力の高い自閉症」として診断されるようになっています。

以前は自閉症でありながら自閉症と見逃されていた子どもたちが、自閉症と診断されるようになったことで、その数が増えたように見えているということであり、自閉症の患者数が実質的に増加しているのではないと考えられています。

POINT

本当に増えているという説も

医療関係者の多くは、自閉症の数が実質的に増えているのではないと考えていますが、「本当に増えている」という見方をする人もいます。こうした人たちのなかには、自閉症がなんらかの環境要因によって発症すると考えている人もいます。

たとえば、胎児期の水銀汚染やMMRワクチン接種、ある種の栄養素の不足が発症リスクを高めているという指摘があります。しかし、それらを裏づける科学的証拠がありません。

ただし、脳の先天的な機能障害に加え、なんらかの環境要因が関与して、発症を促している可能性も完全に否定されるわけではありません。こうした点も、今後の研究によって、少しずつ解明されていくことになるでしょう。

自閉症の特徴

早期発見・早期指導が発達を助ける

自閉症は通常、3歳くらいまでにわかります。自閉的傾向に気づいたら、早期に適切なサポートを始めることが重要です。

障害を抱えながらも子どもは発達する

自閉症は先天的な脳の機能障害による疾患です。しかし、脳のどの部分のどのような異常によって発症するのか、詳細なしくみが解明されていないため、脳にもともとある障害を治療によって取り除くことは不可能です。つまり、自閉症を治すことはできないのです。

しかしながら、自閉症の子どもにも学習能力はあります。その能力に働きかけることで、できなかったことができるようになったり、わからないなりにも適切な対応ができるようになることは十分期待できます。

障害を抱えながらも、子どもたちは成長し、発達するのだということを忘れてはいけません。

そして、学習能力に働きかけ、スキルアップをはかる時期は早いほうが望ましいのです。

まず「気づく」ことが大事

通常、母親や父親が「少しおかしい」と気がつくのは、子どもが3歳のころです。ことばが遅れているのではないかと気づき、医療機関や保健所に相談してわかるケースがほとんどです。

おかしいと気づいた時点で、できるだけ早く診断を受け、自閉性障害に適した「療育《りょういく》（治療教育）」を受けることが望まれます。

知的障害やことばの遅れが目立たない高機能自閉症やアスペルガー症候群の場合には、親とふたりきりで家にいて

アドバイス

0歳児の自閉的傾向もわかる

赤ちゃんを見慣れた小児科医であれば、3か月健診で、自閉的傾向に気づきます。自閉症特有の人に興味を示さない様子や、目でおかあさんを追う「追視」が見られないことなどから判断することができるのです。

ただし、そこで自閉的傾向に気づいたとしても、現在は、0歳の赤ちゃんのスキルアップをはかる、適切な療育方法がありません。当面は経過を観察していくしかないのが実情です。また、健診後、赤ちゃんの発達が追いつく可能性もあります。

こうしたことから、現状では、やはり2〜3歳ごろに自閉的傾向に気づくことを目標にすべきと言えるでしょう。

も、なかなか気づかないことがあります。むしろ、幼稚園や保育園などの集団生活のなかで、「ほかの園児と比べて少し違う」「集団になじんでいない」という観点から、保育者が気づくケースが多いようです。

最近は、子どもの数が少ないため、母親がほかのきょうだいと比較して見ることもあまりありません。そうした状況では、大勢の子どもの世話をしている幼稚園や保育園の保育者の目が重要になってきます。

このほか、定期的な健診の際に、保健師や医師が気づく場合もあります。

子どもに自閉的傾向が疑われる場合は、保育者や医師、保健師はそのことをすみやかに親に伝えることが求められます。

その際、事実を告げるだけではなく、適した相談先や医療機関を紹介してほしいものです。

一方、親も現実を受け入れ、子どもにとって最適な保育・療育の場を見つけることが必要です。

自閉症が気づかれる場面

保育園や幼稚園で
集団行動ができないことで気づくことが多い
定期健診で
健診項目に照らして、判断されることが多い
おくちをアーンして
……
家庭で
3歳ごろに、コミュニケーション能力の発達の遅れで気づくことが多い
ママ!!
……

自閉症が疑われたら相談先を見つける

自閉症かもしれないと気づいたら、まず、専門家に相談しましょう。いつまでも放置しておけば、発達が遅れ、伸ばせる能力も伸ばせなくなります。

医療機関なら、小児神経科か児童精神科へ

自閉症が疑われるときの相談先としていくつか候補があげられますが、最も一般的なのは医療機関です。自閉症を専門的に診断できる診療科としては、小児神経科と児童（小児）精神科があります。

　これらの専門的な診療科が見つからないときは、とりあえず、総合病院の小児科を受診してみてもよいでしょう。小児科の医師なら、自閉症を診断する専門医を紹介してくれます。

　もし、最初から医療機関を受診することに抵抗があるならば、地域の保健所や児童相談センターを利用してもよいでしょう。たとえば、ことばの遅れが心配という場合、各保健所が設置している「ことばの教室」などを訪れ、そこでアドバイスを受けるという方法もあります。

　さらに、もっと身近な相談先としては、保育園や幼稚園の先生、学校の先生もあげられます。先生方が行政機関の適した窓口を教えてくれる場合もあります。

診断がつくことは療育のためにも望ましい

　おかあさんやおとうさんのなかには、自分の子どもが自閉症と診断されることに抵抗を感じる方も少なくありません。

　たしかに、「自閉症」という病名が偏見や差別の対象になりやすい社会であることは否めません。そのことを心配する親の気持ちは十分理解できます。

　しかし、だからといって、診断を先

児童精神科

精神的な症状が主体となる障害・疾患を対象とする診療科。子どものうつ病や統合失調症、神経症、摂食障害などを診察・治療する

小児神経科

脳や神経、筋になんらかの異常がある障害や病気を専門的にみる診療科。発達障害のほか、てんかんや脳性まひ、知的障害を伴う病気などを診察・治療する

自閉症の場合、どちらの診療科を受診しても、きちんとした診断が受けられ、適切な治療・指導をしてもらえます。

自閉症と診断がつくことには意味がある

「発達障害」というあいまいなとらえ方ではなく、「自閉性がある」ととらえておくことで、療育の方向性も確立しやすくなる。病名をあいまいにしておくことは、子どもにとってメリットにはならない

延ばしにすることが子どものためになるかどうか、冷静に考えるべきでしょう。自閉性障害のある子どもが、その障害のために、生活上の不都合を感じたり、ストレスを抱えていたりするとすれば、その状況をできるだけ早く改善してあげることが先決です。

また、その障害をあえて「自閉症」と特定せず、「発達障害」というあいまいなくくり方でとらえていれば、療育《りょういく》の方向性が定められず、的確なサポートがしにくくなります。同様に、幼稚園や学校の先生も、子どもとの接し方に戸惑ってしまうでしょう。

同じ発達障害でも、自閉性障害なのか、ＡＤＨＤ（注意欠陥多動性障害）なのか、あるいはＬＤ（学習障害）なのかによって、必要なサポートは異なってくるからです。

子どもに、より早く、適切なサポートをしてあげようとするならば、診断はつけるべき、というのが筆者の考え方です。的確な診断がベースにあってこそ、適切な療育の方針を決めることができるのです。

自閉症が疑われるときの相談先

- **医療機関の小児神経科または児童精神科**（自閉症の診断をつけられる最も適した診療科）
- **総合病院の小児科**（担当医が専門外で診断をつけられない場合は、専門医・医療機関を紹介してくれる）
- **保健所・児童相談センター**（自閉症の専門医と連携をとっている場合は、診断のつけられる医療機関を紹介してくれる）
- **インターネットのホームページなどで探す**（小児神経学会ホームページには、全国の発達障害診療医師リストが載っている）

保健所や児童相談センターで、臨床心理士などの専門家が「自閉症」を疑った場合は、通常、医療機関の受診をすすめます。医学的な診断は専門医にゆだねられるため、保健所や児童相談センターのスタッフが「自閉症」ということばを使わずに親に説明するケースも少なくありません。

コ●ラ●ム

「自閉症」について理解を深める

病名をいきなり告げることはあまりない

発達障害が疑われる子どもを連れて、初めて医療機関を受診されたご両親に対し、医師が自閉症と診断したとしても、その場で「お子さんは自閉症です」と告げることはあまりないでしょう。

筆者が診察する場合もそうです。「ことばの遅れがある、人とコミュニケーションがとりにくい、物に対するこだわりがあるといった症状を示す、発達障害のひとつです」という表現にとどめます。「自閉症」という病名を使わずに、暗に自閉症であることを告げるのです。

発達障害について勉強されているおかあさんでしたら、「では、自閉症でしょうか」と質問するでしょう。その場合には「そうです」と肯定します。

発達障害への関心が高く、自ら情報や知識を得たうえで来院されたおかあさんは、比較的冷静に、現実を受け止めるように見受けられます。

時間がかかっても、現実を受け入れる

初診時に「自閉症であること」を無理にはっきりさせる必要はありませんが、子どもにその傾向が疑われたら、受診を重ねる間に、徐々に現実を直視し、受け入れていってほしいと思います。

自閉症がどういう病気かがわからないまま、あるいは「親の育て方が悪かったせい」などといった誤解や偏見をもったままでは、子どもが抱えている障害を受け入れることができないでしょう。

むやみに心配したり不安がるのではなく、本やインターネットで調べるなどして、自閉症について勉強し、障害に対する正しい知識をもってほしいものです。

いま、少しずつですが、自閉症をはじめとする発達障害の子どもたちを医療・福祉・保健の分野でサポートしていこうとする取り組みが広がってきています。

目の前の子どもをありのままに受け止め、その子どもに適したサービスを利用して、子ども自身が安定した気持ちで過ごすことができ、彼らなりに成長していけるような手助けをしてあげることが、ご両親の務めです。

3章

自閉症の子どもをサポートする

医療機関にかかるときの心がまえは？

最初はあまり身がまえずに、「相談に行く」というつもりで受診しましょう。日常気になっていることなどをメモしていくと、医師の診断にも役立ちます。

診断を受けるというより、相談にのってもらう気持ちで

初めて医療機関を受診するとき、受診を決めたきっかけとなることがなにかあるはずです。定期健診で「異常がある」「遅れが見られる」などと言われた、あるいは、幼稚園や保育園の先生に「気になる点がある。医師に一度みてもらっては」とすすめられたというケースもあるでしょう。

いずれにしても、最初は、病名をはっきりさせようとか、障害の有無を確かめようなどと思わずに、子どもの心配な症状について打ち明け、相談にのってもらおうという姿勢で受診すればよいと思います。

もちろん、障害や病気の種類を特定することは大切なことですが、ただ特定するだけでは、子どもにとって、なんのメリットにもなりません。いちばん大切なことは、障害や病気がわかったあとの対応です。

いま、子どもがつらいと感じていること、安定できないと感じていることはなにかを見つけ出し、それらの問題点を解消して、子どもに安心感を与え、暮らしやすい環境を整えてあげることが重要です。その実現のために、医師に的確なアドバイスを受けに行くのだ、というくらいの心づもりで受診しましょう。

診断に役立つ情報をまとめておく

医師は、診察室に入ってきた子どもを見て診察をし、診断を行います。しかし、診察室にいる短い時間では、わ

受診する際にもって行くもの

- 母子健康手帳
- 育児日記
- 保育園などの連絡帳
- 健診の検査結果など
- 症状などについて書いたメモ
- 小児科等からの紹介状　など

からないこともあります。

おかあさんが、日ごろ気になっている子どもの様子、ほかの子どもと比べて違う点などをメモしておき、情報提供することも重要です。ふだん育児日記をつけている場合は、医師に伝えたいポイントに付箋《ふせん》を貼るなどして、持参してもよいでしょう。

また、健診結果や幼稚園・保育園での様子が記録された連絡帳なども、診断に役立ちます。

正式な診断名を告げられる場合などで、医師が両親そろって来院してほしいという場合もあります。自閉症の子どもをサポートしていくためには、両親の共通認識・共通理解が不可欠ですから、そうした場合は、両親そろって、医師から話を聞くようにしましょう。

初診時には、あまり深刻にならず、子どものことで気になっていることを医師に相談するつもりで受診するとよい

診断名がついて、医師から説明があるときは、できるだけ両親そろって話を聞くようにする

POINT

外来通院しながら経過を観察

自閉症の場合、重い合併症でもないかぎり、入院治療が必要になることはありません。通常は、診断を受けたあと、1〜2か月に1回という一定間隔で通院を続けます。

医師は、そのつど診察し、子どもの症状の変化、成長の具合をみます。自閉症という障害はもっていても、子どもは日々成長します。最初の診察時にはことばを発することができなかった子どもが、成長とともにことばを獲得するケースもめずらしくありません。

子どもに秘められた「可能性」があることは、正常（定型）発達の子どもであれ、障害のある子どもであれ、変わりはないのです。

自閉症はどのように診断するか

医師は、診察室での子どもの様子、親から得た情報などにもとづいて診断します。病名を親に告げるときは、診断基準を提示して、くわしく説明します。

子どもの行動パターンを診断の手がかりにする

医師は、診察室に入ってきた子どもの様子を注意深く観察し、声をかけて反応を見たりしながら、自閉症かどうかを見極めます。

具体的には、子どもの名前を呼んでこちらを振り向くかどうか、質問してみて、意味が理解できているかどうか、付き添ってきたおかあさんやおとうさんの存在をどれだけ意識しているか、愛着行動が見られるかどうかなどを観察します。

また、おかあさんやおとうさんから、ふだんの様子や気になること、ほかの子どもたちと違うと感じているところなどを話してもらい、その情報も参考にします。

さらに、子どもの行動パターンを検査する心理テストや自閉的傾向を調べる質問項目（自閉症スケール）に、親に回答（記入）してもらい、判断材料にすることもよくあります。

筆者がふだん使用する心理テストは、「津守式乳幼児精神発達診断」と呼ばれる質問紙です。自閉症を診断するためにつくられたものではありませんが、「運動」「探索」「社会」「生活習慣」「言語」の5領域に関し、それぞれの発達指数を導き出すものです。

この結果をグラフ化してみると、自閉症の子どもでは、「社会」「生活習慣」「言語」の発達度が低い独特のパターンが現れます。診察室での子どもの様子、親からの情報に加え、心理テストの結果などでも、自閉的傾向が顕著に出ていれば、自閉症と判断されます。

病名を告げるときは、「診断基準」を用いる

診察室での問診や子どもの観察、心理テストの結果などで、自閉症かどうかはおおむねはっきりします。

実際、自閉症と診断した子どもの特性を診断基準に当てはめてみると、条件を満たしていることが明らかになります。

医師が親に、自閉症であることを説明する場合は、自閉症の診断基準があり、その基準を子どもが満たしていることを告げます。その際によく用いるのが次ページの「ＤＳＭ－Ⅳ」（精神疾患の分類と診断の手引第4版、アメリカ精神医学会）です。この診断基準を見せて、自閉症について理解してもらうようにしています。

DSM－Ⅳによる自閉性障害診断基準

A

(1)、(2)、(3) から合計6つ (またはそれ以上)、うち少なくとも (1) から2つ、(2) と (3) から1つずつの項目を含む。

(1) 対人的相互反応における質的な障害で、以下の少なくとも2つによって明らかになる。

(a) 目と目で見つめ合う、顔の表情、体の姿勢、身振りなど、対人的相互反応を調節する多彩な非言語的行動の使用の著明な障害。

(b) 発達の水準に相応した仲間関係をつくることの失敗。

(c) 楽しみ、興味、達成感を他人と分かち合うことを自発的に求めることの欠如 (例：興味のある物を見せる、持ってくる、指差すことの欠如)。

(d) 対人的または情緒的相互性の欠如。

(2) 以下のうち少なくとも1つによって示されるコミュニケーションの質的な障害。

(a) 話しことばの発達の遅れまたは完全な欠如 (身振りやものまねのような代わりのコミュニケーションのしかたにより補おうという努力をともなわない)。

(b) 十分会話のある者では、他人と会話を開始し継続する能力の著明な障害。

(c) 常同的で反復的な言語の使用または独特な言語。

(d) 発達水準に相応した、変化に富んだ自発的なごっこ遊びや社会性をもったものまね遊びの欠如。

(3) 行動、興味および活動の、限定された反復的で常同的な様式で、以下の少なくとも1つによって明らかになる。

(a) 強度または対象において異常なほど、常同的で限定された型の1つまたはいくつかの興味だけに熱中すること。

(b) 特定の機能的でない習慣や儀式にかたくなにこだわるのが明らかである。

(c) 常同的で反復的な衒《げん》奇《き》的運動 (たとえば、手や指をパタパタさせたりねじ曲げる、または複雑な全身の動き)。

(d) 物体の一部に持続的に熱中する。

B

3歳以前に始まる、以下の領域の少なくとも1つにおける機能の遅れまたは異常。
(1) 対人的相互反応、(2) 対人的コミュニケーションに用いられる言語、または (3) 象徴的または想像的遊び

C

この障害はレット障害または小児的崩壊性障害ではうまく説明されない。

出典：高橋三郎ほか（監訳）「DSM－Ⅳ－TR　精神疾患の分類と診断の手引」医学書院、2003

病名をつけるだけでなく、障害の特性を見極める

自閉症かどうかを診断することは大事なことですが、それ以上に、子どもの特性や傾向を評価し、どの領域のサポートが必要かを考えることが大切です。

ひとりひとりの障害の特徴・傾向を見極める

初診の際、自閉症かどうかを診断することが大きな目的であることは確かですが、病名をつけることだけが「診断」ではありません。

繰り返しますが、自閉症という障害は症状の違い、現れ方、経過のたどり方などに非常に幅があり、個人差もあります。

どのようなタイプの自閉症なのか、症状の程度はどれくらいか、生活上のどのような場面で支障が起こりやすく、どのような点は問題なくできるのかといったことや、知的障害の有無などを、それぞれの子どもについてくわしく見極めていく必要があります。

自閉症の診断では、その子どもの特徴や傾向を細かく見ていくことがきわめて重要なのです。それは、子どもの症状・状態をよく把握することが、適切な治療やサポートの土台になるからです。

心理テストや自閉症スケールを用いることは、個人の特徴を具体的にとらえるうえで有効です。療育《りょういく》の指針となるような行動評価のテストなども、いろいろと開発されています。

子どもの特性を理解することが、親にも求められる

両親は、わが子が自閉症かそうでないかということだけにとらわれがちです。自閉症でなければ安心してなにもしない、自閉症だったらショックで悲嘆にくれる……という二極化におちいりやすいのです。

しかし、たとえ自閉症という診断がつかなかったとしても、子どもは人とコミュニケーションがうまくとれないなど、生活上なんらかの不都合を抱えているわけです。その子どもに必要な支援をし、問題を解消する方向に向けてあげなければなりません。

また、子どもが自閉症だった場合、同じ自閉症でも、人によって障害の特徴や程度は千差万別であることを理解して、自分の子どもがどのようなタイプなのか、なにを苦手とし、どのような場面で不都合を感じているのかを理解してあげるべきです。

そして、子どもができるだけ安心して過ごせる生活環境を整え、子どもを不安にさせない接し方を心がけ、子どもの発達の遅れをサポートする教育方法を考えることが求められます。

子どもの個性・特性まで踏み込んで診断する

こだわりが強いか
どうか？
知的な遅れが
あるかどうか？
常同行動が多いか
少ないか？
ことばの遅れが
あるかないか？
パニックになりや
すいかどうか？
多動はないか？
偏食はないか？
感覚過敏があるか
どうか？
睡眠障害はないか？

POINT

脳波検査や画像診断は補助的に

自閉症の診断をする目的で、脳波検査や画像診断を行うことはあまりありません。それは、自閉症には、特有の脳波や脳の器質的な異常などがなく、それを根拠に確定診断を行うことができないからです。

ただし、自閉症の人の半数には、てんかん特有の脳波が見られることが知られています。自閉症の疑いがあり、けいれんなどの症状がある場合には、てんかんの合併がないかどうかを調べるために、脳波検査を行うことがあります。

また、画像診断については、自閉症の研究のために、親の同意を得たうえで、子どもの脳の画像を撮影する場合があります。

そもそも、自閉症の子どもにじっとして脳波検査や画像診断を受けさせることは、本人にとっても苦痛ですし、検査を行う側も負担が大きいものです。そのような理由もあり、脳波検査などを行うのは一般的ではありません。

自閉症とかかわりの深い発達障害

自閉症や高機能自閉症、アスペルガー症候群を総称して広汎性発達障害と言います。
また、自閉症と似た症状を示すＡＤＨＤやＬＤなどの発達障害もあります。

典型的な自閉症と高機能自閉症

かつて、自閉症はことばが理解できず、人とのかかわりを嫌い、知的障害を伴った疾患と理解されていました。この「自閉症」のなかには、現在、「高機能自閉症」と呼ばれている、知的な障害があまりない自閉症や、知的障害がなく、ことばも使えるアスペルガー症候群などは含まれていませんでした。

しかし、近年、自閉症が「自閉性障害」として広くとらえられるようになり、その病態や障害の程度にかなりの幅があることが知られるようになってきました。

そして、昔から自閉症と診断されていたような典型的な自閉症も、高機能自閉症やアスペルガー症候群も同じ障害の仲間であり、はっきりとした境界はないという「自閉症スペクトラム」の考え方が定着してきました（50ページ参照）。

こうした自閉性障害全般は、「広汎性発達障害」という名称でくくられています。「自閉症」と言うとき、典型的な自閉症のみをさす場合もありますし、高機能自閉症やアスペルガー症候群も含めた自閉性障害をさす場合もあります。

その明確な定義づけ、区分けは、それぞれの医師の考え方などによって多少の違いがあるのが現状です。

POINT

高機能とそれ以外の自閉症に境界はない

高機能自閉症とは、知的な遅れがあまりない自閉症のことです。基準となる知能指数（IQ）は、おおむね70以上とされていますが、明確な基準ではありません。

自閉症のうち、どれくらいの知的障害があると「高機能」と呼ぶのか、そのボーダーラインには、はっきりとした定めがないのです。

一般的には、自閉症の多くの子どもたちを相対化して見たとき、そのなかで、知能が比較的高く、ものごとを比較的よく理解できる自閉症を「高機能自閉症」と呼んでいます。

ただし、高機能自閉症は、知能が高いから、知的な遅れのある自閉症よりも「程度の軽い自閉症」であると、短絡的に決めつけることはできません。知的な遅れがなくても、こだわりがとても強かったり、パニックにおちいりやすいなど、生活上の支障が大きい子どもも少なくありません。

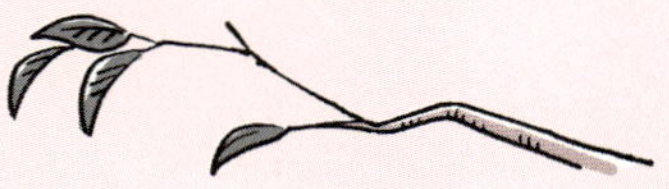

自閉症と似た特徴をもつ発達障害

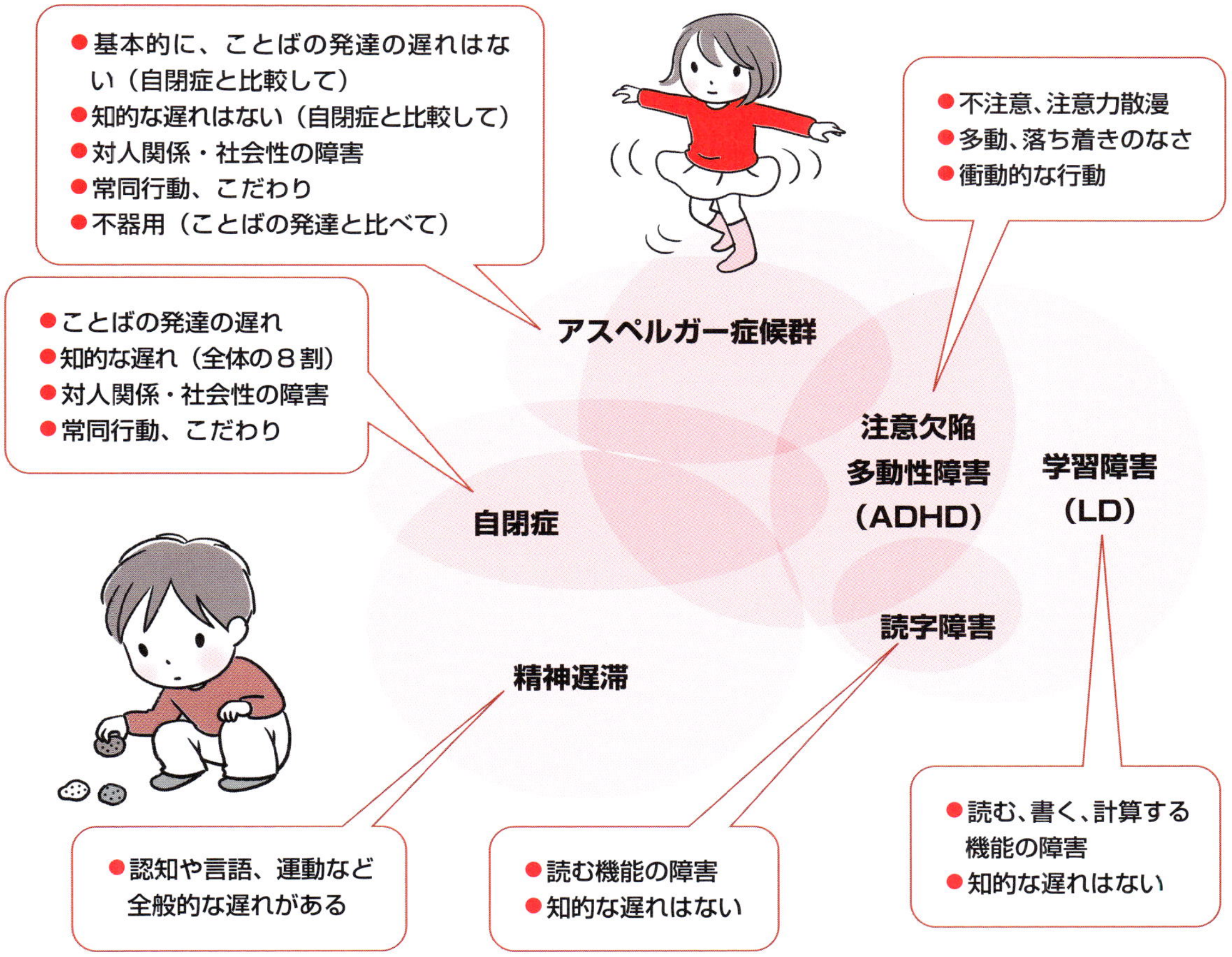
●基本的に、ことばの発達の遅れはない（自閉症と比較して）
●知的な遅れはない（自閉症と比較して）
●対人関係・社会性の障害
●常同行動、こだわり
●不器用（ことばの発達と比べて）
●不注意、注意力散漫
●多動、落ち着きのなさ
●衝動的な行動
●ことばの発達の遅れ
●知的な遅れ（全体の８割）
●対人関係・社会性の障害
●常同行動、こだわり
アスペルガー症候群
注意欠陥多動性障害（ADHD）
学習障害（LD）
自閉症
読字障害
精神遅滞
●認知や言語、運動など全般的な遅れがある
●読む機能の障害
●知的な遅れはない
●読む、書く、計算する機能の障害
●知的な遅れはない

言語発達に遅れがないアスペルガー症候群

自閉的傾向を示しながら、知的な遅れがなく、さらに言語発達にも目立った遅れのない障害をアスペルガー症候群と言います。

人とコミュニケーションをとることが不得手である、その場の暗黙のルールなどを察することができない、また、物に執着したり、変化を嫌うなど、自閉症特有の症状が見られます。しかし、自閉症全般の約8割に見られる知的障害がなく、ことばも理解し、むしろ、話し好きであることもめずらしくありません。

しかし、アスペルガー症候群の子どもの話し方は独特です。鼻声で抑揚《よくよう》のない話し方や、大人びた言い回しをします。また、自閉症と同じく、皮肉や冗談、比喩《ひゆ》は通じません。

ルールを理解していながら守れないADHD

ADHDは、日本語では、注意欠陥

自閉症の子は社会的ルールそのものを理解できないが、ＡＤＨＤの子は、ルールを理解していながら守ることができない

自閉症の子は2～3歳ごろにことばの遅れで発見されることが多いのに対し、アスペルガー症候群の子は幼稚園や小学校で集団生活が始まってから、友だちとのトラブルがきっかけで発見されるケースが多い

多動性障害と訳されています。落ち着きがなく、注意力が散漫で、ときに衝動的な行動をとることがある障害で、これも脳の機能障害がかかわっていると考えられています。ＡＤＨＤの子どもは、人口の３～５％いると言われています。

ＡＤＨＤの子どもは、人の表情を読んだり、気持ちを察したり、その場のルールを理解することはできます。しかし、わかっていながら、自分がふるまうべき行動がすみやかにとれないことが多いのです。ルールに即した行動がとれないという点で、自閉症と似ているのですが、自閉症の子どもはルールそのものを理解していません。

ですから、幼い子どもの場合は、ＡＤＨＤか自閉症か、あるいはアスペルガー症候群なのか、見分けがつかないことがあります。初期にＡＤＨＤと診断され、成長していくうちに、実は高機能自閉症だとわかるケースもあります。逆に、高機能自閉症と思われた子どもが、のちにＡＤＨＤとわかることもあります。

アドバイス

高機能自閉症とアスペルガー症候群

アスペルガー症候群は自閉性障害のひとつで、知能の遅れがなく、言語能力にも問題がないのが特徴です。DSM－Ⅳでは、アスペルガー症候群は、自閉症とは別の障害として、個別の診断基準が設けられています。アスペルガー症候群と高機能自閉症は、言語能力の有無以外に大きな違いはなく、同じ障害ととらえている専門家もいます。

少なくとも、障害を抱えた本人にとっては、その違いはどうでもよいことです。

アスペルガー症候群も高機能自閉症も、ともに、自閉性障害の一種であり、他人とコミュニケーションがうまくとれないなど、ソーシャルスキル面で問題があり、その部分で重点的なサポートをしてあげなければならないという点において、違いはないからです。

臨床的には、2つの障害を別の障害として区別することに、あまり意味はないと言えるでしょう。

ADHD（注意欠陥多動性障害）診断基準

（1）か（2）のいずれかに当てはまる

注意欠陥

（1）以下の注意欠陥の症状のうち6つ以上が少なくとも6か月以上続いており、そのために生活への適応に障害をきたしている。また、こうした症状は発達レベルとは相容れない。

（a）細かいことに注意がいかず、学校での学習や仕事、その他の活動において不注意なミスをおかす。
（b）さまざまな課題や遊びにおいて、注意を持続することが困難である。
（c）直接話しかけられたときに、聞いていないように見える。
（d）学校の宿題、命じられた家事、あるいは仕事場での義務に関する指示を最後まで聞かず、そのためにやり遂げることができない（指示が理解できなかったり、指示に反抗したわけではないのに）。
（e）課題や活動を筋道を立てて行うことが苦手である。
（f）持続的な精神的努力を要するような仕事（課題）を避けたり、いやいや行う（学校での学習や宿題など）。
（g）課題や活動に必要なものをなくす（おもちゃ、宿題、鉛筆、本など）。
（h）外からの刺激で気が散りやすい。
（i）日常の活動のなかで物忘れをする。

多動・衝動性

（2）以下の多動・衝動性の症状のうち6つ以上が少なくとも6か月以上続いており、そのために生活への適応に障害をきたしている。また、こうした症状は発達レベルとは相容れない。

（a）手足をそわそわと動かしたり、いすの上でもじもじする。
（b）教室やその他の席に座っていることが求められる場で席を離れる。
（c）そうしたことが不適切な場で、走り回ったりよじ登ったりする（青年や成人では落ち着かないという感覚を感じるだけということもあるかもしれない）。
（d）静かに遊んだり余暇活動につくことが困難である。
（e）じっとしていない、あるいはせかされているかのように動き回る。
（f）しゃべりすぎる。
（g）質問が終わる前に出し抜けに答えてしまう。
（h）順番を待つことが困難である。
（i）他人をさえぎったり、割り込んだりする（例：会話やゲームに割り込む）

注）すべての症状には「often」（しばしば）という表現がつくが、省略した。
出典：アメリカ精神医学会「DSM−Ⅳ 精神疾患の分類と診断の手引」より　榊原訳

症状によっては薬を使うこともある

自閉症そのものを治す薬はありません。てんかんやパニックを起こす場合には、対症療法として薬を用いることがあります。

自閉症の治療に使われる薬は主に3種類ある

自閉症という障害を起こしている脳の機能障害そのものを治癒させることはできませんが、障害に付随して起こる症状（二次症状）を、薬で抑えることはできます。

自閉症に使われる主な薬は、①てんかん発作、けいれんに対する抗てんかん薬、②多動やＡＤＨＤの症状に対する神経刺激薬、③激しい感覚過敏に対する抗精神病薬に大別できます。

そのほか、パニックを起こす子どもには抗うつ薬のＳＳＲＩ（選択的セロトニン再取り込み阻害薬）を、昼夜が逆転したり、夜なかなか寝られない子どもには催眠作用のある薬を用いることがあります。

効果のある薬は積極的に用いる

自閉症に使われる薬は脳に作用するものが多いため、子どもに飲ませることに抵抗感をもたれる保護者も少なくないようです。

たとえば、感情調整薬のリスペリドンは統合失調症の薬ですし、パニックを抑制させるＳＳＲＩはうつ病の薬です。これらの薬を、子どもの症状によっては一定期間服用し続けなければなりません。しかし、どの薬も、医師が多くの自閉症の子どもたちに処方してみて、その効果と安全性を認めたものばかりです。なによりも、子どもが苦痛から逃れ、安定できるための治療法なのですから、医師と薬を信じて受け入れてほしいと思います。

こんな薬が用いられる

感情調整薬
光や音などの刺激に過敏に反応し、パニックを起こすような場合

神経刺激薬
多動が目立つ子や、ADHDの合併がある場合

抗てんかん薬
てんかんを合併していてけいれん発作を起こす場合

SSRI
不安や緊張でパニックを起こすような場合

薬物療法は、子どものその後の成長・発達に影響を及ぼす可能性があるため、医師は慎重に見極めたうえで、取り入れるかどうかを判断します。

自閉症の合併症・二次症状に効く薬

適応症状	薬の種類	薬品名（カッコ内は商品名）	作用・副作用
てんかん発作（けいれん）	抗てんかん薬	カルバマゼピン（テグレトール） バルプロ酸ナトリウム（デパケン）	てんかん（けいれん）を引き起こす脳内の興奮を抑制させる作用がある 眠気、ふらつきなどの副作用がある
多　動	神経刺激薬	メチルフェニデート（リタリン・コンサータ）	神経伝達物質のドパミンの働きを助け、注意力や集中力を強化し、衝動性を抑制する作用がある 不眠・食欲不振などの副作用がある
感覚過敏（光・音刺激などに対する）	感情調整薬	リスペリドン（リスパダール）	ドパミンの働きを抑制し、外部からの刺激に対する過剰な反応を抑える作用がある 眠気などの副作用がある
自傷行為	抗てんかん薬	カルバマゼピン（テグレトール） バルプロ酸ナトリウム（デパケン）	もともと、てんかんの治療薬だが、自傷行為や興奮などを抑制する効果もある
パニック	SSRI（抗うつ薬）	パロキセチン（パキシル） フルボキサミン（テプロメール）	不安や恐怖によるパニックを抑える効果がある 消化器管症状の副作用がある
睡眠障害	Lドパ（ドパミン補充薬）	レボドパ（ドパストン、ドパゾール）	もともと、パーキンソン病の治療薬だが、睡眠リズムの乱れや不眠にも効果がある
	メラトニン〈サプリメント〉	メラトニン	もともと、時差ぼけなどに効くサプリメントで、催眠作用がある

医師によって、用いる薬は異なりますので、心配な場合は、主治医に作用や副作用について質問し、納得したうえで服用させてください。

自閉症の治療は「療育」を中心に進める

自閉症は薬や手術によって治る病気ではありません。
対応のしかたによって子どもの発達を促し、社会生活への適応を助けることはできます。

医学的に治せないが、「療育」することはできる

自閉症がどのようにして発症するのか、その原因がわかっていない現在においては、この障害を治す医学的な方法はありません。つまり、薬や手術によって、子どもに生まれつきある、脳の機能的な障害を正常な状態にすることはできないのです。

しかし、自閉症の子どもの機能障害は、脳のすべてに起こっているわけではありません。活用できる機能を生かして、障害をきたしている機能を補っていくことは可能です。

子どもがもっている「可能性」に働きかければ、できないことも、通常の子どもとは違った方法で達成することができるのです。その子どもに適した「方法」を周囲の大人が見つけてやり、子どもがそれを実行できるような動機づけを行いながら、繰り返し実践させることで、できないこともできるようになっていきます。

このように、自閉症の子どもの生活上の困難を軽減させ、障害を抱えながらも不自由なく暮らしていけるようにしていく教育的援助を「療育《りょういく》（治療教育）」と言います。

療育は自閉症に対する最良の治療法

自閉症の子どもの大きな問題点は、社会的なルールがわからず、その場に適した行動が身につかないということです。

自閉症の子どもは、脳の機能に障害

アドバイス

療育（治療教育）には多方面のサポートが必要

「治療教育」ということばは、ヨーロッパでは19世紀に、児童心理学の領域ですでに使われていました。そこでは、「心身に発達障害のある児童に対する教育であり、医学的な治療によって治すことができず、また、教育しても限界のある児童に対して、医学と教育との連携によって、その児童の教育の目的を達しようとするもの」と定義されてきました。

現在、効果的な療育を実現するためには、医療、教育、福祉などさまざまな領域の専門家が多面的にかかわり、障害の克服と生活の自立、社会への参加が実現できるよう、サポートすることが大切であると理解されています。

があるため、社会的ルールを理解することが困難です。それを訓練によって理解させることにも無理があります。

しかし、ルールがわからないなりにも、このような場面ではこのような行動をしなければならないということを習得することはできます。

たしかに、ふつうの子どもがルールをきちんと理解して行うようにスムーズにはいきません。しかし、「この場面ではこれをやる」ということをマニュアル化し、なんらかの動機づけをしたうえで、それを子どもに覚えさせて、習得させることは可能です。

ルールもわからず、形だけでは意味がないと思われるかもしれませんが、それは、自閉症ではない人の考えです。マニュアル化したものを機械的に実行するだけでも、それで生活が安定し、社会に適応できるなら、自閉症の子どもにとって大きなメリットと言えます。

療育では「ルール」ではなく、「方法」を教える

近づきすぎはダメよ
初対面の人と会ったときは、ある程度距離をおいてあいさつをするのがルール
自閉症の子は、そのルールを理解できず、すぐそばまで顔を近づけて、まじまじと相手の顔を見てしまう
少しはなれて
ルールを理解できなくても、場面に適した行動（方法）がとれるようになれば、社会生活をスムーズに送れるようになり、本人の精神も安定する

療育の基本となるのは行動療法

行動療法は、動機づけをしながら、子どもの不適応な行動を適切な行動に置き換えていく治療方法です。

ことばや説明では理解できない

自閉症の子どもは、静かにしていなければならない場面で動き回ったり、大声を出したり、また、他人を思いやるべき場面で、相手の気持ちがわからず、不快にさせるような言動をとってしまうことがあります。

こうした「不適当」な言動に対し、ふつうの子どもに諭《さと》すように、ことばで言って聞かせ、理屈で理解させようとしても無理です。自閉症の子どもには、社会における暗黙のルールが通じないからです。

しかし、わからないからできなくていい、ということではありません。子どもが成長し、社会との接点が増えていくようになると、ある程度適切な言動がとれなければトラブルが増え、子ども自身がたびたび不快な思いをするようになります。

それを回避するために、ふつうの子どもと同じように理解はできなくても、一定のルールにのっとった言動がとれ、社会との摩擦が減り、彼らなりに他者との意思疎通がはかれるようになることが望まれます。

自閉症特有の認知にもとづいた行動療法を

行動療法は、「行動」という結果を重視し、望ましい行動は助長し、ふさわしくない行動は減らしたり、やめさせたりする方向にもっていく治療法です。基本的には、「なぜそのような行動に至ったのか」という原因分析は行いません。

行動療法ではできないこと

- ひとつの行動や動作がうまくできたとしても、それをほかの場面で、そのまま応用することはできない
- 行動・動作をうまく身につけられたとしても、社会性やコミュニケーション能力、想像力などが育まれるわけではない（自閉症の症状そのものは改善しない）

行動療法のメリット

- 具体的な行動ひとつひとつについて介入する治療法なので、実用性があり、成果がすぐに形になって現れる
- 自傷行動やかんしゃくなどの問題行動の減少に役立つ
- 身辺自立（衣類の着脱や洗面、トイレなど）のスキルアップがはかれる
- 職業訓練などにも活用できる

ただし、自閉症の子どもに対する行動療法では、自閉症に独特の認知のあり方を踏まえたうえで、行動をコントロールしていくことが大切です。

問題行動に対しては、それが起こった原因（周囲がわからなくても、本人にとっては理由があることが多い）を探り、原因を除去したり、適切な行動がとれれば、ごほうびを与えるなどして、子どもが適切な行動をとりやすい状況をつくります。

また、苦手なことやできないことについては、ごほうびを与えるなどの動機づけをして、子どもの意欲を引き出し、ステップを踏みながら、徐々に身につけさせるようにします。その際は、自閉症の子どもは視覚的な認知がすぐれているので、絵やカード、写真などでサインを出してあげる、といった工夫が求められます。

そうした試みを、最初は大人が介助しながら行い、少しずつ到達目標を上げていき、最終的には、子どもが自主的に、適切な行動や生活動作が行えるように導いていきます。

行動療法の基本的な考え方

客観的に測定（評価）できるのは「行動」であるという考え方にもとづき、その行動に至った原因は分析せず、結果としての「行動」のみに着目し、それをふさわしい方向に変えていこうとするものです。

日常生活スキルに対して

1. 子どものできないこと、苦手なことをピックアップし、やり方を教える
2. できなければごほうびを与えないなどの対応をする
3. できるようになったら、ごほうびを与える
4. ごほうびを期待して、子どもが望ましい行動・動作をするようになる
5. 自発的に望ましい行動・動作ができるようになる（スキルが身につく）

問題行動に対して

1. 子どもの問題行動、不適応行動をピックアップし、その因果関係を分析する
2. 不適応行動を起こす原因、起こりやすいパターンを見つけ、原因を消去したり、起こりやすいパターンにならないよう回避する（→一部解決、当面解決）
3. 原因がわからない問題行動が起こった場合は、無視したり、ごほうびを与えない
4. 問題行動を起こさずにがまんできたら、ごほうびを与える
5. ごほうびを期待して子どもが適切な行動をとるようになる
6. 自発的に適切な行動をとるようになる

行動療法を実践する際のポイント

- 失敗したとき、不適応行動が起こったとき、原則として、叱《しか》ったり、罰を与えたりしない
- 治療の対象となる行動・動作はひとりひとり異なるため、治療を始める前に、子どもに対する観察・評価・分析をきちんと行わなければならない

ＡＢＡ（応用行動分析）によるサポート

自閉症の子どもに対して行われる行動療法のうち、最も普及しており、効果も高いと認められている方法です。到達度を評価できるのが特徴です。

例　「くつをはく」という行動を身につける

「強化」しながら適切な行動を身につけさせる

ＡＢＡ（Applied Behavior Analysis）は、日本語では「応用行動分析」と訳されています。

ＡＢＡでは、問題行動は適切な行動に変えられるよう、また、できない行動や作業が身につけられるよう「強化」しながら、ふさわしい行動へと導いていく方法です。

ここでいう「強化」とは、ごほうび・報酬のことで、それが物である場合もありますが、子どもがやりたいことでもよいですし、あるいは、やりたくないことをやらずにすませられることでもよいとされています。

自閉症の子どもに、なにをすべきかをまず教え、その手順を細かいステッ

ヒントを与える

子どもがひとりでできないところではヒントを与え、助けてあげます。

「○○をしなさい」と、ことばで指示する

ヒントになる絵カードなどをあらかじめ用意しておき、それを見せる

プに分けて提示し、どの手順までできるようになったかを、そのつど測定（評価）します。どこでつまずくかがわかれば、教えるときのポイントもとらえやすくなります。

最初のうちは
ヒントを与えてあげる

自閉症の子どもが適切な行動を身につけられるようになるまでには、時間がかかります。

最初のうちは、ステップの初期段階でつまずいてしまうことでしょう。そのときには、子どもがうまく次のステップに進めるように、なんらかのヒントを出してあげるようにします。

ヒントは、手を添えたり、腕をつかんで導いてあげるとか、身振り手振りなどのジェスチャーで教えてあげるなどの方法があります。

こうしたヒントは、いつまでも与え続けるのではなく、子どもが自発的にできるようになったら徐々に減らしていきます。そうすることで、最終的には自立してできるようにします。

できなければ、

対象物そのものを目の前、あるいは目につきやすいところに置く

手でさし示したり、肩を軽く叩いて、忘れていることに気づかせる

子どもの手や腕を持って、正しいやり方に導いてあげる

行動・動作をしなければならない場所まで連れて行き、気づかせる

ステップを一段階ずつ積み上げていく

たとえば、洋服を着るという一連の動作を習得させる場合、洋服を正しい向きに置き、取り上げてから、最初に頭にかぶせて通し、次に片方の腕、さらにもう片方の腕を通し、最後に洋服のすそをもって引き下げるというステップを踏みます。

この全行程を、最初からすべて子どもひとりでやらせるのはむずかしいと言えます。ですから、まず、ワンステップをひとりでできるようにし、残りのステップは大人が介助してあげるようにするのです。

順行式で覚える方法と逆行式で覚える方法

手順の教え方には二通りあります。一つは、ステップの最初の部分から順番に覚えさせていく方法（順行型）、もう一つは、ステップの最後の部分から覚えさせていく方法（逆行型）です。

洋服の着方の手順を教える場合、順

手順の教え方（例・洋服を着る）

順行型（第１段階から最終段階に向かって教える方法）

第１段階ができたら、第２段階も自分でやらせる。第３段階以降は大人が介助する

ボタンやファスナーつきの服は着脱がむずかしいので、丸首のセーターやシャツで練習を始めるとよい

第2段階　洋服に頭を通す

第３段階ができたら、第２段階も自分でやらせる。第１段階は大人が介助する

子ども自身にやらせる。第２段階以降は大人が介助する

第1段階　洋服を正しい向きに置く

第２段階ができたら、第１段階から最終段階まで通して自分でやらせる

行型の方法では、まず、第1段階の洋服を正しい向きに置くということだけを重点的に教えます。それができるようになるまでは、第2段階以降は大人が介助してあげます。

第1段階ができるようになったら、これに続けて、洋服に頭を通すという第2段階にチャレンジさせます。その際、第3段階以降は大人が介助してあげます。

こうして、子どもが自分でできるステップの数を少しずつ増やしていき、最終段階までひとりでできるように教えていきます。

一方、逆行型では、最初のうちは、第1段階から第4段階までを大人が手伝ってやり、最後の洋服のすそを引き下げる動作だけを自分でやらせます。

それができるようになったら、大人は第1段階から第3段階を介助し、第4段階の片方の腕をそでに通す部分を覚えさせます。

最終的には、洋服の置き方から着終わるまでを、ひとりで通してできるようにしていきます。

第２段階ができたら、第３段階も自分でやらせる。第４段階以降は大人が介助する
第3段階 片方の腕を通す
第４段階ができたら、第３段階も自分でやらせる。第２段階までは大人が介助する
第３段階ができたら、第４段階も自分でやらせる。最終段階は大人が介助する
第4段階 もう片方の腕を通す
最終段階ができたら、第４段階も自分でやらせる。第３段階までは大人が介助する
第４段階ができたら、最終段階まで通して自分でやらせる
最終段階 すそを持って引き下げる
第１段階から第４段階までは大人が介助し、最終段階だけ自分でやらせる

逆行型（最終段階から第1段階へ向かって教える方法）

ＴＥＡＣＣＨ《ティーチ》によるサポート

自閉症スペクトラム障害の子どもを支援するための個別教育プログラムです。世界的に高く評価され、日本でもいくつかのプログラムが試みられています。

アメリカで開発された治療・教育プログラム

ＴＥＡＣＣＨ（Treatment and Education of Autistic and related Communication handicapped CHildren）は、日本語では「自閉症および関連障害、関連領域にコミュニケーションの障害をもつ子どもの治療と教育」と訳されます。

これは、アメリカの臨床心理学の専門家であるエリック・ショプラーが、１９６０年代後半に開発した、自閉症スペクトラム障害の人のための支援事業です。

ＴＥＡＣＣＨは、治療・教育プログラムをはじめ、患者や家族のための相談、関連職種の育成までを含めた「事業」であり、治療・教育の個別の手法・技法ではありません。

当時、ショプラーは自分が在籍していたノースカロライナ大学で、自閉症の子どもに対する治療・教育支援の研究にたずさわっていました。そして、ノースカロライナ州の自閉症児を対象に、適切な診断、認知能力の評価を行ったうえで、ひとりひとりに即した個別支援プログラムを作成し、それにもとづいた治療・教育を行いました。

ＴＥＡＣＣＨでは、自閉症児をとりまく支援者すべてが個別プログラムにのっとって協力し合い、支援を行うのが特徴です。

家族（家庭）、医師（病院）、保育者や教師（幼稚園、学校）、臨床心理士、言語聴覚士など、幅広い領域の支援者が、それぞれの場所でプログラムを実践しています。

アドバイス

言語聴覚士による自閉症支援

自閉症の療育にはさまざまな専門職がかかわりますが、言語聴覚士（ST：スピーチセラピスト）もそのひとりです。STは、失語症や難聴、発声障害、吃音《きつおん》などの障害のある人を対象に訓練を行い、能力の回復・発展をはかります。

自閉症に対しては、ことばの指導・訓練を行うだけでなく、ことばがうまく使えない場合には、ことば以外の方法によるコミュニケーションのとり方をアドバイスします。同じ自閉症でも、ことばは話せるが、自分の気持ちがうまく伝えられないなど、特性はそれぞれ異なるため、その子どもに適したコミュニケーションの方法を指導してくれます。

9つの理念にもとづきプログラムを実践

TEACCHは、9つの基本的な理念・方針に従って実践されます。

❶精神分析的な理論にもとづくのではなく、実際の子どもを観察して自閉症を理解する。

❷親（保護者）と専門家が協力する。

❸子どもが地域のなかで自分らしく生きていけることを目標とする。

❹ひとりひとりの個性・特性を正しく評価する。

❺視覚情報を理解しやすい特性に合わせ、生活空間の「構造化」を行う。

❻自閉症の認知特性にもとづいた指導、子どもがとった行動を正しく評価したうえでの指導を心がける。

❼得意なこと（スキル）は伸ばし、苦手なことや弱点があることを認める。

❽多職種の専門家が自分の立場から指導するだけでなく、子どもを全体的にとらえて支援する。

❾就労支援なども含め、生涯にわたる支援を、地域に基盤をおいて行う。

TEACCHの特徴

親と専門家が情報交換・意思疎通をはかりながら協力し合い、プログラムを進めていく
子どもの苦手なこと、弱点があることを認め、それを克服させるのではなく、環境などによって補うようにする（子どもを変えるのではなく、環境を変える）
子どもを一個人として包括的にとらえ、生涯にわたる支援（就労支援なども含む）を行う
生活空間を「構造化」させ、場所の意味づけをする（82ページ参照）

TEACCHによる「構造化」の進め方

TEACCHでは、「自閉症の子どもにとってのわかりやすさ」を重視し、空間や時間、手順を「構造化」（可視化）したうえで、療育を進めます。

空間を「構造化」し、行動しやすい環境にする

自閉症の子は、いろいろなことに使われる自由な空間に入ると、なにをしたらよいのかわからず、混乱してしまいます。

逆に、なにをすべきかが決まっている場所であれば、落ち着いてものごとに取り組むことができます。

たとえば、ひとつの部屋の中を区切って、それぞれの空間に「○○をする所」と決まりをつくったり、この机の上では勉強をする、別のテーブルでは絵を描くというように、場所ごとに用途を定め、意味づけをするとよいのです。これが空間の構造化です。

「構造化」により、混乱することも少なくなり、過ごしやすくなります。

時間を「構造化」し、見通しを立てさせる

空間と同じく、時間についても、自閉症の子どもにはこだわりがあります。

これから、どれくらいの時間、なにをするのか、そのあとはどこへ行ってなにをどれくらいの時間やるのか――そういったスケジュールが決まっていないと、安心できません。

また、適当な時間で切り上げるとか、やるべきことが終わらないから少し時間を延長してやろうといった、臨機応変もききません。

ですから、1日の時間割、1週間のスケジュール、1か月のスケジュールを決めておき、それにのっとって行動させるようにします。これが時間の構造化です。

手順を「構造化」し、自立的にできるようにする

歯みがき、衣服の着替え、入浴、排《はい》泄《せつ》など身のまわりのことも、自分でできるように教える必要があります。

自閉症の子は、複雑な手順を必要とする作業では、ひとつひとつのことはできても、最後まで通してこなすことがむずかしい場合があります。そのようなときは、手順を細かいステップに分けて、1段階ずつ絵や写真を使って示すようにします。これが、手順の構造化です。

たとえば、歯みがきなら、歯ブラシの用意から歯ブラシの動かし方まで、目で見てわかるように絵で示して、洗面台に貼り出しておくと、覚えやすいでしょう。

空間の「構造化」

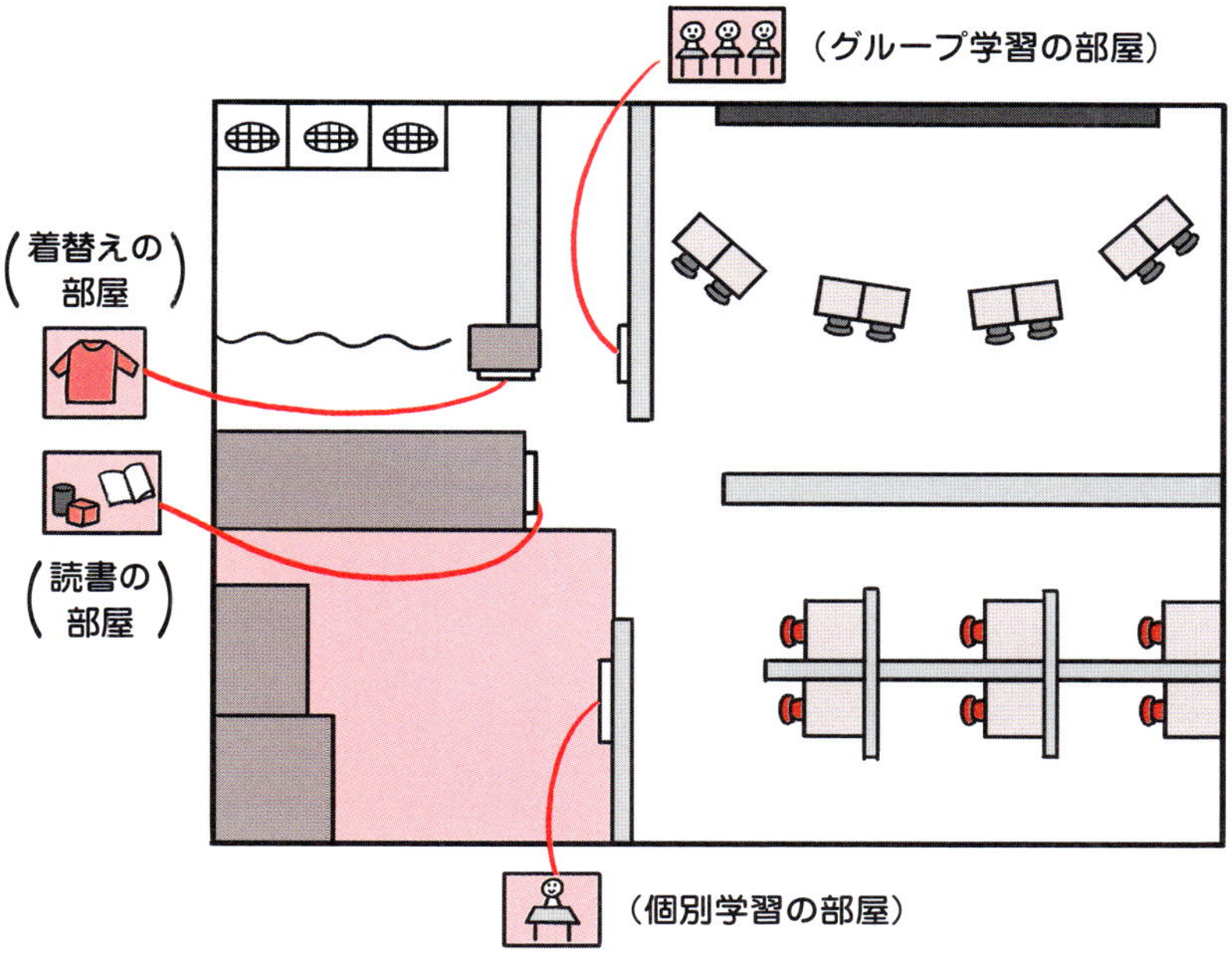
（グループ学習の部屋）
着替えの部屋
読書の部屋
（個別学習の部屋）

場所に意味づけをし、その意味をシンボルカードにして掲示する（「○○する場所」というルールを設ける）

手順の「構造化」

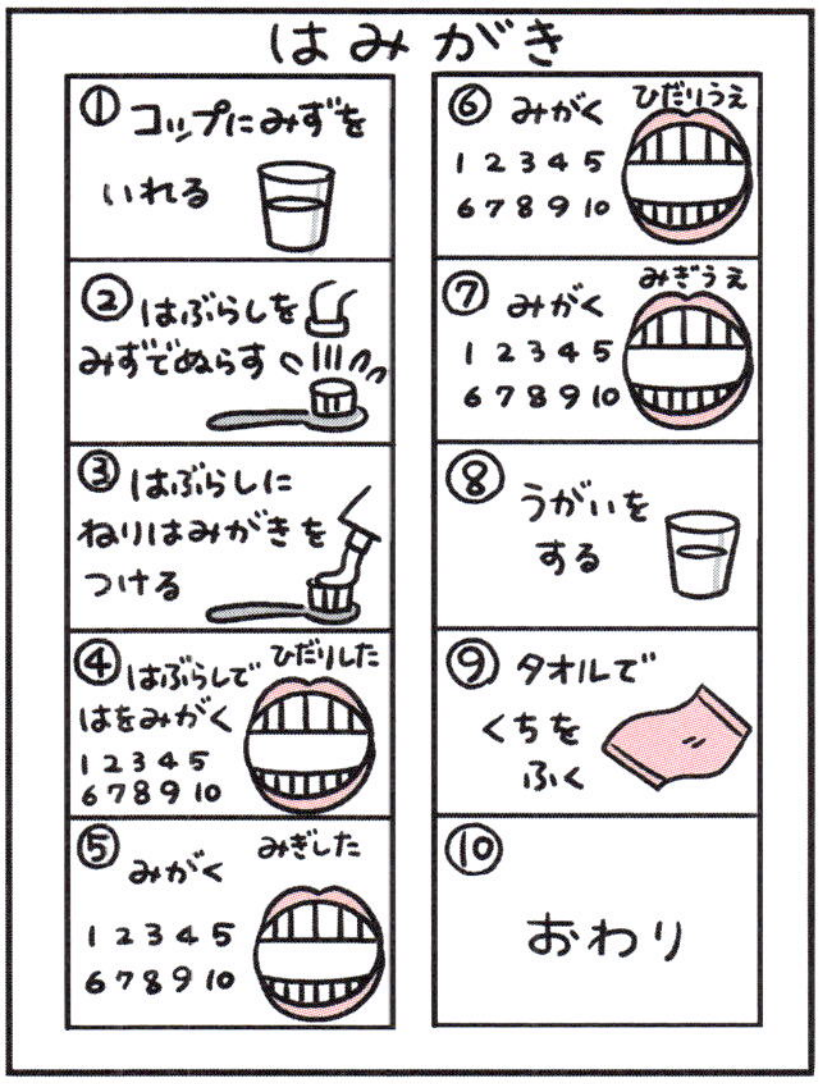
はみがき
①コップにみずをいれる
②はぶらしをみずでぬらす
③はぶらしにねりはみがきをつける
④はぶらしでひだりしたはをみがく 1 2 3 4 5 6 7 8 9 10
⑤みがく みぎした 1 2 3 4 5 6 7 8 9 10
⑥みがく ひだりうえ 1 2 3 4 5 6 7 8 9 10
⑦みがく みぎうえ 1 2 3 4 5 6 7 8 9 10
⑧うがいをする
⑨タオルでくちをふく
⑩おわり

作業をするときの手順、トイレの使い方の手順、入浴の手順など、さまざまな動作を細かいステップに分けて示した手順書を作成し、掲示する

時間の「構造化」

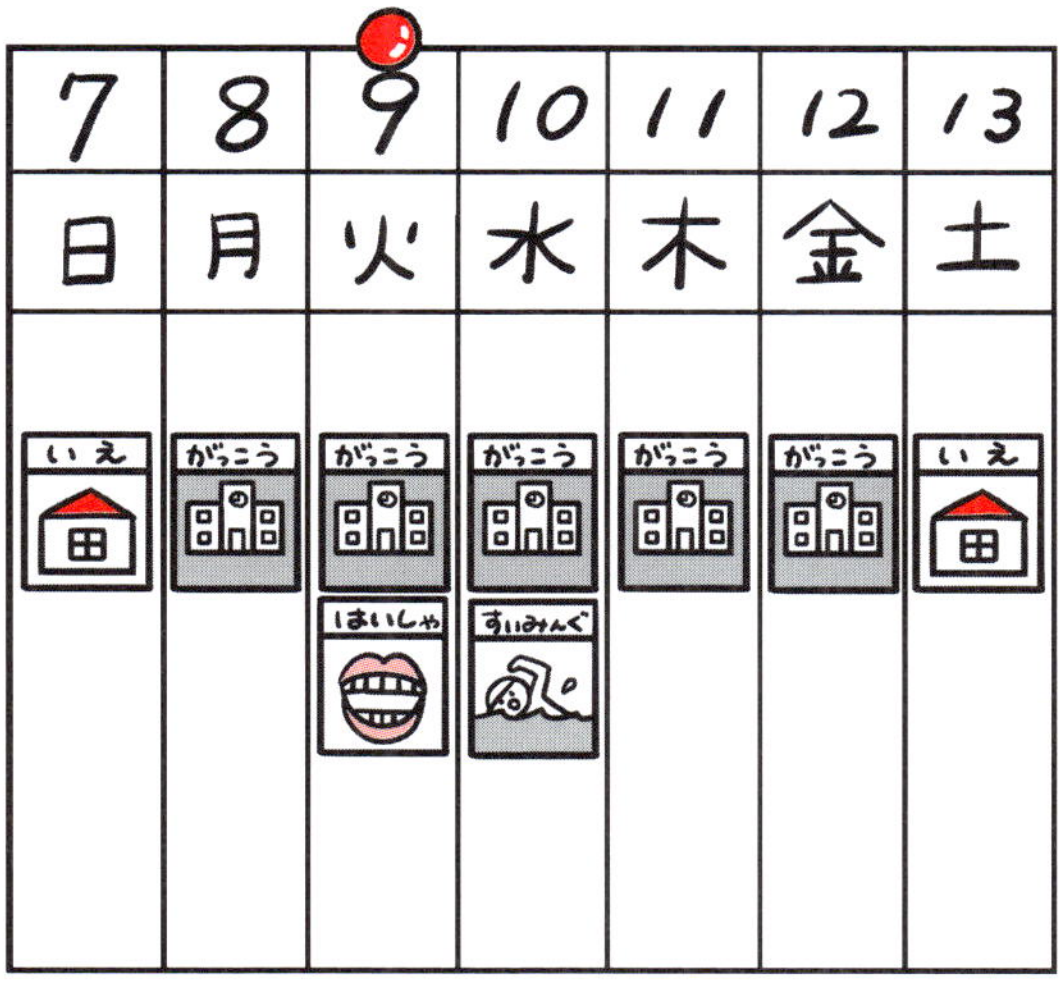
7 8 9 10 11 12 13
日 月 火 水 木 金 土
いえ
がっこう
がっこう
がっこう
がっこう
がっこう
いえ
はいしゃ
すいみんぐ

1日のスケジュール（時間割）、1週間のスケジュール（曜日ごと）、1か月のスケジュールを決めておき、掲示する

療育はどこで受けられる？

保健所や支援センターなどで情報を集め、療育が受けられる身近な場所を探しましょう。専門のスタッフの子どもに対する接し方から、学べる点も多いはずです。

保健所などに相談して利用しやすい施設を探す

就学前の幼児の場合は、知的障害児や発達障害児を対象とした通園施設を利用することができます。

学童の場合は、養護学校や特殊学級において、学校生活を通して、行動療法をはじめとする療育を受けることができます。

また、発達障害の専門外来などを設置している医療機関では、臨床心理士や言語聴覚士などを配置し、療育まで行っているケースがあります。

このほか、民間の自閉症児の療育を専門的に行う療育施設などもあります。

これらの施設については、近くの保健所や精神保健福祉センター、児童相談所などで相談すれば、紹介してもらえます。

また、２００２年に創設が始まり、現在、全国に50か所余り設置されている、自閉症・発達障害支援センターでも、自閉症をはじめとする発達障害に関する相談支援のほか、療育にかかわる助言・指導、情報提供などを行っています。また、連携をとっている教育施設・福祉施設など、療育を受けられる場を紹介してくれます。

いろいろな相談機関に足を運び、多くの情報を収集してみましょう。そのなかから信頼のできる、利用しやすい施設を選ぶとよいでしょう。

子どもに適した療育がすぐに受けられるようにするには？

自閉症の子どもをサポートするシステムは増えつつありますが、まだまだ

アドバイス

情報収集にはインターネットを

療育が受けられる機関や施設を探す際、インターネットでさまざまなホームページを見つけることができます。療育機関だけでなく、相談機関を探したり、親の会や家族会を見つけたり、自閉症の基礎知識を得るうえでも、インターネットは役立ちます。

いろいろな情報を集めて、判断に迷ったときは、医師や保育者・教育者に相談して、適切なアドバイスをもらうとよいでしょう。

十分とは言えません。専門の療育機関もいくつか開設されていますが、利用希望者が殺到しており、1年も2年も待たされるケースが少なくないのが現状です。

しかし、目の前の子どもは、いますぐにでも療育を必要としているわけですから、いつまでも待っているわけにはいきません。

まずは、すぐに療育が受けられる場所を探し、そこで実際に療育を受けてみましょう。子どもにどのような変化が見られるか、臨床心理士などの専門家がどのように子どもと接しているか、それを体験し、見学してみることが大切です。

心理の専門家の子どもに対する接し方を見ると、家庭で親が日常的にどう接したらよいかを知る手がかりになります。親が家庭における療育者となるための勉強の機会にもなるでしょう。家庭で、どのようなことに気をつけて子どもに対応していけばよいのか、心理の専門家に相談し、アドバイスを受けることも有効です。

とにかく療育を受けてみる

スプーンを
みせたら
「ごはんですよ」
の合図です
へー

数少ない機会であっても有効に利用しましょう。心理の専門家が子どもにどのような指示の出し方をしているか、問題行動が起きたとき、どのように対応しているかを見学すれば、家庭でも応用できます。

コ●ラ●ム

ABAとTEACCHの違い

ABAは技法、TEACCHは概念

自閉症に関する本や情報を見ていると、よく「ABA」と「TEACCH」が登場します。ABAは臨床心理士が自閉症の人に対して行う「技法」そのものをさしているのに対し、TEACCHは技法ではなく、ABAをはじめとするさまざまな技法を用いながら、家族・医療・福祉・教育・地域など、多方面の人たちが自閉症児にかかわり、子どもを包括的にとらえて生涯にわたって支えていこうとする「概念」をさしています。

療育機関や養護学校、障害者施設などでは、臨床心理士が個々に子どもとかかわり、療育を行っていきますが、そのなかで、自閉症の子どもの問題行動を解消したり、身辺自立のためのスキルアップをはかったりする目的で、ABAの手法は一般的に用いられています。

一方のTEACCHは、ひとりの臨床心理士、ひとつの療育機関で実践できるものではありません。本来のTEACCHは医師、教師、臨床心理士、ケースワーカーなど、多くの関係者が連携しながら支援を進めるものです。このように、ネットワークをきちんと構築し、あらゆる領域の専門家が密に連携をとりあって自閉症児をサポートしていくという試みは、日本ではまだ一般的ではありません。

ただし、TEACCHの考え方を取り入れた療育、応用した療育については多くの施設や専門職が取り組んでいますので、そうしたサービスを利用することは可能です。

ABAは指導的、TEACCHは受容的

ABAでは、うまくできれば報酬（ごほうび）を与え、できなければなにも与えないという手法によって、子どもがうまくできるように、やや強制的に指導を行いますが、TEACCHの基本的な考え方では、子どもができないことを無理強いはしません。

ABAのほうは、社会に適応させるために指導するという色合いが濃く、TEACCHのほうは、子ども自身はあまり変えずに、周囲の人の考え方や環境を子どもに合わせてあげようとする傾向が強いと言えます。

ただし、両者は相反するものではありません。子どものスキルアップを助ける療育であるという点において、同じゴールを目指す支援法であるということです。

4章

家庭で自閉症児を支え、育てる

家族のサポート

注意を向けるために名前を呼ぶ

自閉症の子どもに最初に身につけさせたいのは、名前を呼ばれたら振り向くという動作です。指示をしたり、用事を伝える際に必要な基本動作です。

他人に関心をもちにくい自閉症の子は、名前を呼ばれても気がつかないことがほとんどです。しかし、名前を呼ばれたときに振り向いたり、返事ができるようになることは、社会性を身につけていくための第一歩と言えます。

コミュニケーションをとるための基本的な動作

名前を呼ばれたら、呼んだ人のほうを振り向く――ふつうの子どもにとってはごく当たり前の動作ですが、自閉症の子どもにはこれができません。

名前が自分をさしている「符号」であり、名前を呼ぶことで、その人が自分になにかを伝えようとしているという意図がわからないからです。

しかし、名前が何であるか、名前を呼ぶのはなんのためかといった理屈は抜きにして、名前を呼ばれたら振り向くというルールを覚えさせることは可能です。

最初のうちは、名前を呼んでも知らん顔を続けるかもしれませんが、「どうせ振り向かないのだから」と、あきらめないことです。子どもに指示したり、用事を伝えるときは、必ず名前を呼ぶようにします。

呼びかけに反応があったら、ほめてあげる

名前を呼び続けるうちに、何回かに1回は振り向くようになるでしょう。うまくできたときは、ほめてあげることが大切です。

ことばが理解できない子には、報酬（ごほうび）をあげてください。お菓子でも、アニメのキャラクター人形でも、その子が喜ぶ物でかまいません。

このようにして、名前を呼ばれたときに振り向くと「トクをする」と子どもにわからせることがポイントです。

ちらっとこちらを見ただけでも、ほめてあげましょう。たとえわずかな反

応でも、それだけで大きな前進です。

　子どもが「自分になにか用があって呼んでいる」ということがわからなくても、振り向けば相手との関係がよくなり、居心地がよくなるということを体得できるように、根気よく続けることが大切です。

　もし、うまく反応できないとしても、叱《しか》ったり、罰を与えるようなことは避けてください。

ごほうびになるもの

- お菓子、甘い飲み物、好物
- 抱っこ、キス、くすぐりなどの身体接触
- 好きなおもちゃ、絵本など
- やりたくないこと（課題）からの解放、休憩など
- 好きな遊び、運動など

その子どもの特性に合わせて、また、時と場合によって、より効果のあるごほうびを選択することが重要

POINT

なぜ、叱ってはいけないか

　子どもが母親に叱られたときは、大好きなおかあさんに突き放されてショックを受け、自尊感情（プライド）も傷つけられ、悲しくなって「もう、こんなことをしない」と、幼いなりに反省しています。叱るほうの親も、これにこりて二度と同じ失敗は繰り返さないだろうと期待するでしょう。

　しかし、自閉症の子どもは、ふつうの子のような反応を示すことはありません。

　逆に、ひどく叱ったりすると、パニックにおちいることがあり、逆効果になることも少なくありません。ですから、自閉症の子どもに対しては、叱ってわからせるという方法はできるだけ用いないようにします。

振り向く動作を身につけさせる

日ごろから、用事があるときや、指示をするときは、必ず名前を呼ぶ

まったく反応を示さない場合は、何もしない

できなかったとしても、叱らないこと

振り向いたときは、ほめるか、ごほうびをあげる

完全に振り向かなくても、チラリとこちらを見ただけでもよい

やがて、ほめてもらうことや、ごほうびを期待して、名前を呼ばれたら振り向くようになる

家族のサポート

問題行動は、ほめながらやめさせていく

自閉症の子が問題行動や危険な行為をしたときは、やみくもに叱《しか》りつけるとマイナスになります。叱る代わりに無視をするなど、対応のしかたを工夫しましょう。

ほめられたことはいつまでも覚えている

私たち人間は、叱られたことはすぐに忘れ、ほめられたことはいつまでも覚えているようにできています。これは、ストレスを回避するために脳に備わっている自己防御反応の現れと言えます。

自閉症の子もそれは同じです。問題行動や不適応行動が出たときに叱ったとしても、その記憶が脳裏に刻まれ、次からそうした行動を起こさなくなるということはあまり期待できません。

一方、ほめられたことは記憶に残りやすく、心の支えになります。ですから、問題行動を起こしたときは、叱るのではなく、それがおさまったとき、あるいは好ましい行動に変わったときにほめるほうが有効です。

ことばがわかる高機能自閉症の子なら、ほめたり、笑いかけたりすることが、ごほうびになる場合がありますが、ことばをうまく使えない子には、お菓子やおもちゃをあげるほうが効果的です（89ページ参照）。

問題行動を起こしているときは、飽きてやめるまで無視する

問題行動がなかなかおさまらないときは、注意したり、叱ったりするのではなく、無視するようにします。

たとえば、自閉症の子どもによく見られる「つば吐き」という行動があります。あたりかまわずつばを吐き散らすものです。

つば吐きをする原因には、親の関心を引くためとか、勉強や作業をしたくないとき、やることがなくて退屈なときなど、いろいろと考えられますが、なかでも、親の関心を引くために行うケースが多いようです。

その場合、「やめなさい！」と口できつく注意したり、怒った目で〝ダメ〟の合図を送ったりすれば、子どもは「おかあさんが、かまってくれた」と思って、ますますその行為を続けるでしょう。いったんおさまったとしても、親の関心を引こうとして、たびたびつば吐きをするようになります。

こうした行為を減らすには、子どもが飽きてやめるまで見て見ぬふりをし、やめたらやさしいことばをかけたり、ほめてあげることです。

このとき大切なのは、つば吐きをやめるのがよいことなのだと、子どもがわかるタイミングでほめることです。

問題行動（つば吐き）への対応のしかた

子どもがつば吐きを始めた

「つばを吐いてはダメ」と叱ったり、にらんだりして、すぐにやめさせようとする

×

子どもは、親にかまってもらえると思い、つば吐きを何度も繰り返すようになる

原因を探る

例1　親の関心を引きたいため

- 声もかけず、視線も向けない
- つば吐きをやめたら、ほめたり、ごほうびをあげる

「つば吐きをしても親は関心を向けてくれない。つば吐きをやめたら、ごぼうびをもらえた」という体験から、つば吐きはやめたほうがよいことを習得する

例2　勉強がしたくないから

- 子どもにかまわず、しばらく様子を見て、勉強したくない理由を探る
- 勉強内容がむずかしくてわからない場合は、「教えてほしい」「ヒントがほしい」といったサインの出し方を教える
- つば吐きをやめ、自分でサインを出し、課題をこなしたら、ほめる

勉強がよくわからないという状況を親に伝えることで、問題が解決し、さらに、ほめてもらえるとわかれば、つば吐きをすることも少なくなる

家族のサポート

絵カードなど視覚的なサインを活用する

ことばの遅れがある子どもには、視覚に訴える方法が有効です。絵カードやシールなどを用いて、コミュニケーションをはかれるようにサポートします。

音声の理解は苦手でも視覚でとらえることは得意

自閉症の子は、音声情報は取り込みにくいのですが、視覚情報は敏感にキャッチします。その特有の感覚を生かし、子どもになにかを伝えるとき、わからせるときは、声で話しかけるのではなく、絵や写真、シールなどを用いると効果的です。

たとえば、「ぼうしをもってきなさい」と言う代わりに、ぼうしの絵が描かれたカードを見せます。声をかけても気がつかなかった子どもが、絵カードを見せると、すぐに理解して反応するということは、よくあります。

おもちゃなどを片づけさせる場合も、どこに人形を置き、どこに積み木をしまうのか、ひと目でわかるように、

絵カードの使い方

●子どもが意思表示するとき

「おやつがほしい」

お菓子の絵カードを見せる

「のどがかわいた」

水の入ったコップの絵カードを見せる

絵カードなどビジュアルなものを活用することが、自閉症の子の理解力や意思伝達能力を伸ばす手助けになる

●大人が指示するとき

「はさみをもってきて」

はさみの絵カードを見せる

「10時まで公園で遊びます」

時計の針が10時をさした絵カードを見せる

置くべき場所に人形の絵や積み木の絵（シール）を貼っておきます。そうすれば、なにをどこにしまうのか、子どもが迷わずにすみます。

子ども自身の意思表示にも絵カードを使わせる

　ことばをうまく使えない子どもは、なにかをしたいときや、ほしい物があるときなど、自分の気持ちを相手にうまく伝えられなくて、もどかしい思いをすることが少なくありません。そんなときも絵カードを使うことができれば、スムーズに意思表示ができ、イライラすることもなくなります。

　子どもがことばや文字を理解できるのなら文字カードを、記号が好きな子には記号カードをつくるなど、その子の特性や理解の度合いに応じて、ふさわしい方法を取り入れるようにしてください。

　こうした意思表示のしかたを覚えることで、子ども自身に、主体的にコミュニケーションをはかろうとする気持ちが芽生えてくることもあります。

POINT

絵がことばの発達を促す

　ことばの発達に遅れのある子どもに対し、絵やシールをあまりたくさん使っていると、ますますことばが遅れるのではないか、と思われるかもしれません。しかし、これまでの研究結果では、絵カードをたくさん使ったことで、ことばの発達がさらに遅れたという報告はありません。むしろ、絵カードなどを積極的に用い、コミュニケーションをはかる能力を高めることで、ことばの発達を促す効果があると考えられています。

　自閉症の子にとって最も必要なことは、ことばという表現方法ではなく、なんらかの方法で他者とコミュニケーションをとることです。そのために用いるツールがなにであるかは問いません。

絵シールの使い方

物の置き場所・片づけ場所を理解させる

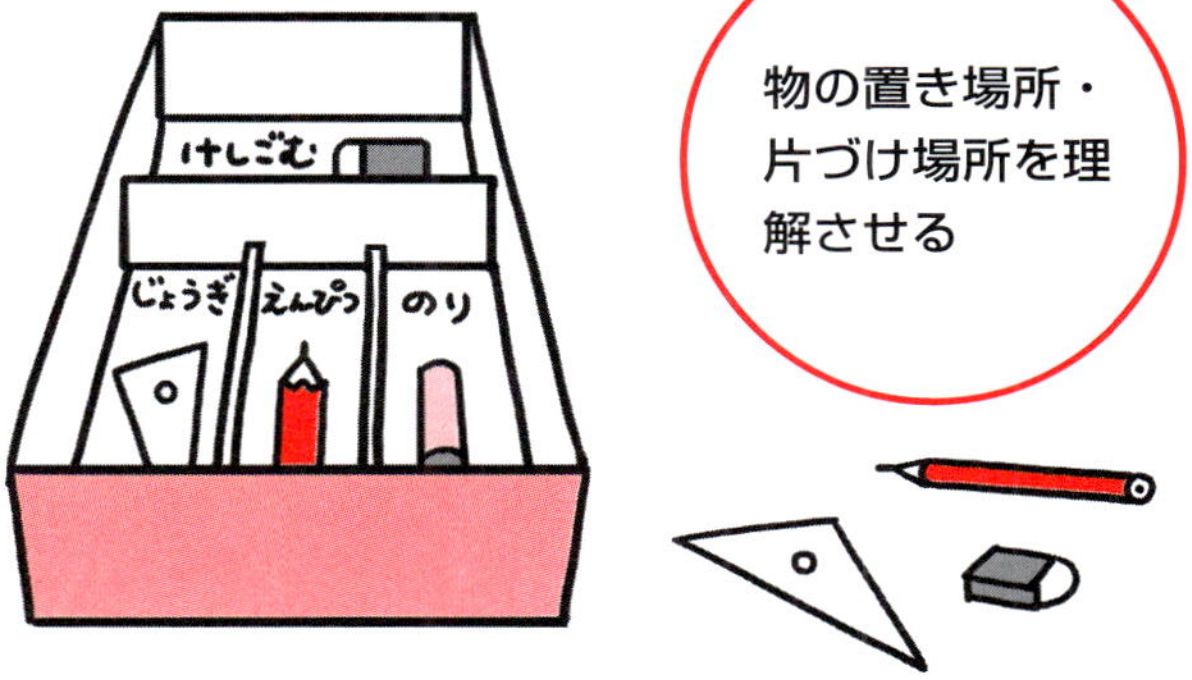

トレイの中の鉛筆、消しゴム、定規を置く位置に、それぞれの絵シールを貼る

タンスの引き出しには、ハンカチ、くつ下、下着などの絵シールを貼り、入れる物に合わせて空き箱などで仕切る

家族のサポート

部屋や場所ごとの役割を決める

自閉症の子どもは、自分のいる場所がなにをするスペースかがはっきりしていないと混乱してしまいます。それぞれの部屋や場所に意味をもたせることが必要です。

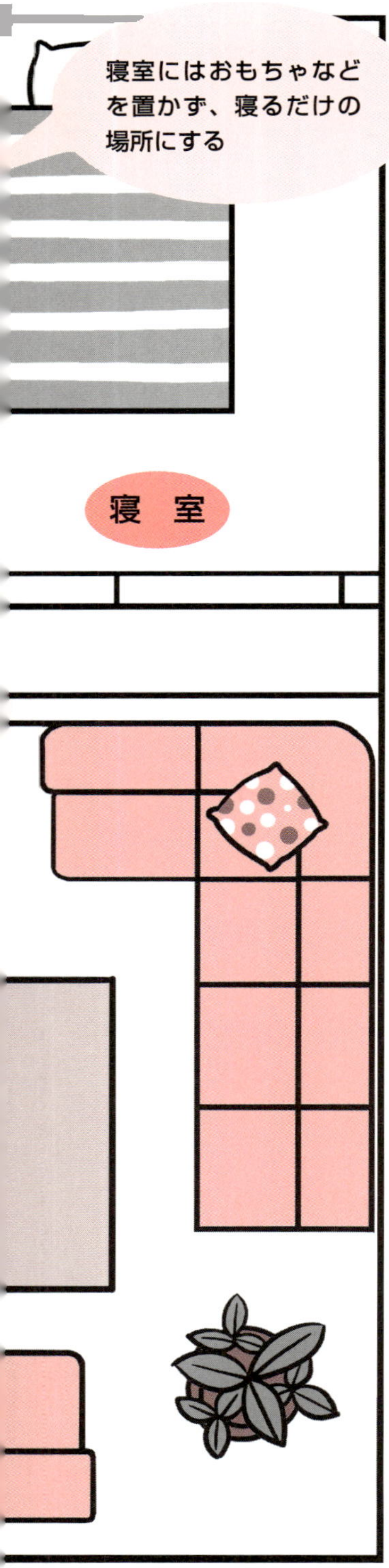
寝室にはおもちゃなどを置かず、寝るだけの場所にする
寝室

子どもが行動しやすい環境をつくる

一般的な子ども部屋は、勉強机にベッド、本棚やおもちゃ箱などが並んでいます。ひとつの部屋で、勉強も読書もおもちゃ遊びもでき、夜はそこで寝ることもできます。

しかし、このような子ども部屋はいわゆる多目的空間で、自閉症の子にとっては最もふさわしくありません。いつ、なにをすればよいのかがわからず、混乱してしまうのです。

こうした混乱を避けるために、部屋や場所ごとに役割を限定する「空間の構造化（82ページ参照）」を、家庭でも取り入れましょう。

子ども部屋は勉強する部屋とし、ベッドは子ども部屋ではなく寝室に置いて、そこは寝るだけの場所にします。居間にも勉強道具は置かず、遊ぶ場所かテレビを見る場所、台所はお手伝いをする場所という意味づけをします。

このように部屋ごとに役割を限定するのが理想ですが、住宅事情などによってひと部屋で2つか3つのことをやらなければならないのが現実です。

その場合は、部屋の中を区切ればよいのです。ポイントは子どもの気が散らないように、視界をさえぎることです。ついたてを用いて、ひと部屋を2つか3つに区切り、ひとつのスペースを狭くして、別のスペースに目がいかないようにします。ついたての代わりにタンスや本棚などでさえぎってもいいでしょう。

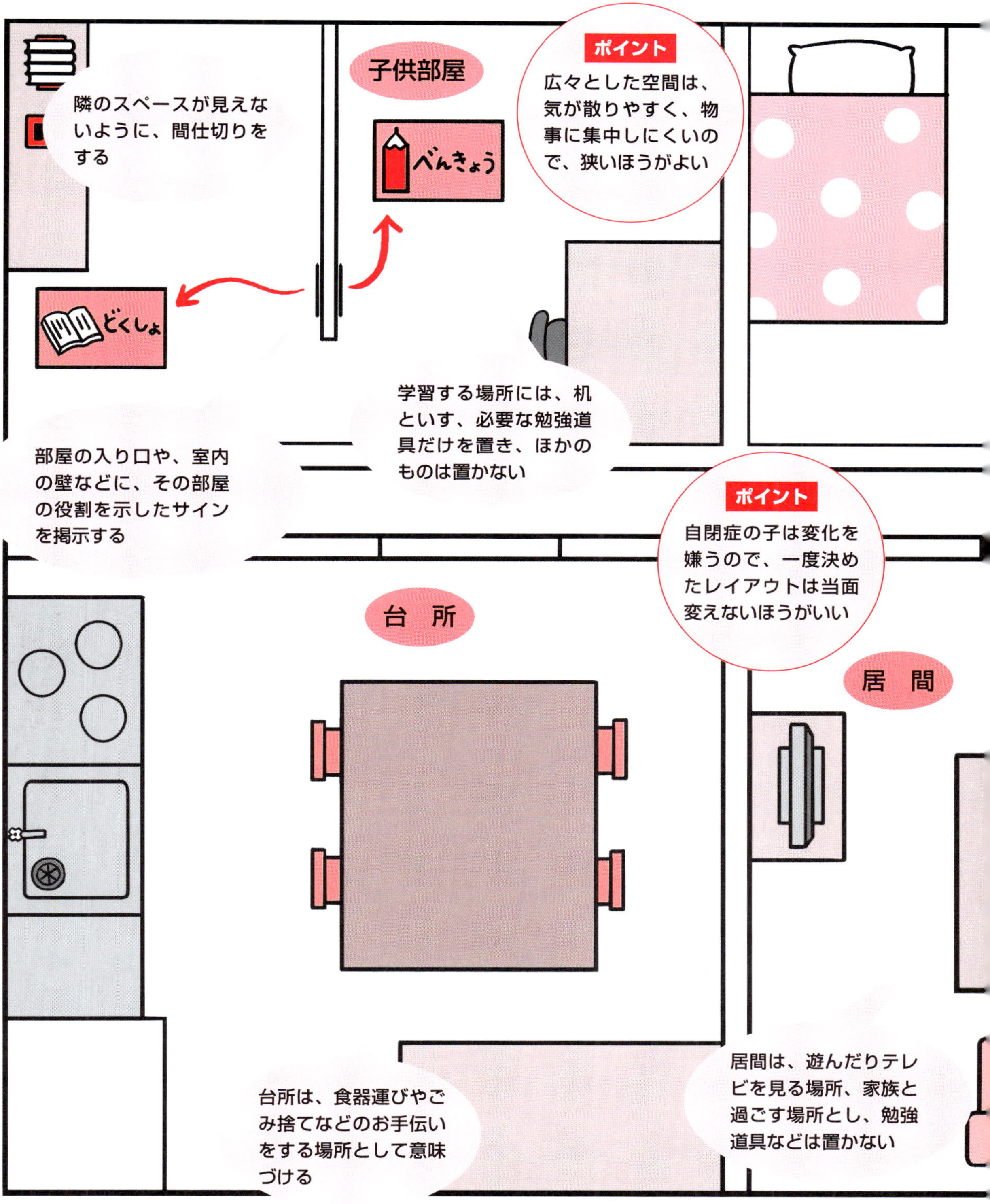
子供部屋
隣のスペースが見えないように、間仕切りをする
べんきょう
どくしょ
ポイント
広々とした空間は、気が散りやすく、物事に集中しにくいので、狭いほうがよい
学習する場所には、机といす、必要な勉強道具だけを置き、ほかのものは置かない
部屋の入り口や、室内の壁などに、その部屋の役割を示したサインを掲示する
ポイント
自閉症の子は変化を嫌うので、一度決めたレイアウトは当面変えないほうがいい
台　所
居　間
台所は、食器運びやごみ捨てなどのお手伝いをする場所として意味づける
居間は、遊んだりテレビを見る場所、家族と過ごす場所とし、勉強道具などは置かない

スケジュールを立て、行動しやすくする

自閉症の子どもは、予測できない変化を嫌います。次になにをすればよいのかがわかるだけで、安心して行動できるようになります。

1日の生活の流れをひと目でわかるように示す

自閉症の子どもは時間的な見通しを立てることが不得手です。いま、集中してやっていることがあると、適当な時間で切り上げて、次の行動に移るということがなかなかできません。

たとえば、朝起きたら歯をみがいて顔を洗い、食卓について朝食をとる、といった流れがよくのみこめません。

また、洗顔や朝食にはそれぞれどれくらいの時間をかければよいのかも理解しにくく、スムーズに行動を移すことができないのです。

子どもの理解を促すためには、1日の生活スケジュールを作成し、決まった場所に貼っておくとよいでしょう。ことばがわからなければ絵を使い、時

1日のスケジュール表をつくる

決めた場所にスケジュール表を貼り、流れの途中でわからなくなったら、見に行くように促す

間を示す数字がわからなければ、時計の絵で示します。

朝ごはんを食べたあとになにをするかわからなくなったときは、スケジュール表の前に連れて行き、次にやるべきことを理解させます。

このように、いったんスケジュールが決められ、それに沿って活動できると、混乱せずに1日を過ごすことができるようになります。1日単位のスケジュールだけでなく、週間スケジュールも作成して、曜日ごとの課題や用事などがわかるようにしておくと、より安心できます。

スケジュール変更は前もって知らせておく

変化を嫌う自閉症の子にとって、スケジュールどおりに過ごすのがいちばんよいのですが、日常にアクシデントはつきものです。

たとえば、土曜日はいつも近所の公園で遊ぶけれど、雨が降っているので家で過ごすことになったとか、寝る前にはいつもおかあさんが本を読んでくれることになっているが、体調をくずして読めないといったことが起こり得ます。このような場合、変更が生じたことを、前もって子どもに伝えておく必要があります。直前になって知らせると、子どもにも心の準備ができていないため、パニックにおちいるおそれがあります。

雨のために公園に行けなくなり、家で過ごさなければならないというときは、代わりの過ごし方のスケジュールを示します。何時までは絵を描いて、何時まではパズルをしましょうというように、見通しを立て、紙に書いて見せます。

寝る前の読み聞かせをおとうさんが代わってやる場合は、「きょうはおとうさんが読むよ」という意味で、父親の顔を描いた絵カードを見せるとよいでしょう。

雨が降ったから
公園には
行けなくなったの。
家で絵を描き
ましょう。
こうえん
おえかき

スケジュールを変更するときは、絵カードなどを用いて早めに伝えておく

日常動作の方法は細かいステップに分ける

着替えやトイレの使い方などの一連の動作をいっぺんに覚えることはできません。動作を細分化し、ワンステップずつ覚えさせます。

方法や手順を段階に分けて教える

自閉症の子になにかを教えるときは、手順を細かくステップに分け、ひとつひとつを順番に教えていく方法が有効です。78ページで洋服を着るときの手順をステップ化する方法を紹介しましたが、洋服の脱ぎ方、くつの着脱、トイレの使い方、はみがきのしかた、入浴の方法など、さまざまな生活動作についてもこの方法が応用できます。

ステップの途中でつまずいたら、そのつどヒントを出して、うまくできたらほめたり、ごほうびをあげながら、生活動作を習得させていきます。

こうしたトレーニングを重ねることで、子どもの身辺自立を促すことができます。

最終目標は、自発的・自立的に行動できること

課題をこなしていくとき、最初は親がつきっきりで教えたり、手助けをしてあげなければなりません。子どもの能力によっては、次のステップになかなか進めないこともあるでしょう。

そのようなときも焦らずに、ヒントをたくさん出したり介助したりして、うまく導いてあげ、達成できたらほめるようにします。「自分にもできる」「できたら楽しい」という経験を積ませることが重要です。

最終目標は、子どもがスケジュール表などを自分で確認し、着替えの時間がきたと思ったら、手順表を見ながら自発的に着替えをするようになることです。

アドバイス

手順を教えるときのコツ

- 細かいステップに分けて、ワンステップずつ教える
- ステップ化した手順表（ことばがわからない場合は絵や図、写真を用いる）をその動作を行う場所に貼る
- 最初は手助けしたり、ヒントをたくさん出したりして、達成させることを最優先する
- 少しでもできたら、ほめたりごほうびを与える
- できるようになってきたら、手助けやヒントは少しずつ減らす

また、関連のある行動をつなげて教えることも大切です。

たとえば、洋服の脱ぎ方を実行したら、それに続けて洋服のたたみ方を実行する、あるいは、洋服を脱いだあと、入浴のしかたを実行するというように、それぞれの手順に従って自分でできるようにしていきます。

このようにして身辺自立が進めば、子どもは時間の流れに沿って、スムーズに活動できるようになります。

こんな教え方は混乱のもと

- 口で説明する（歯みがきは３分間よ）
- 「次はなにをやるんだっけ？」「まだ３回しかやってないけど、それでいいのかな？」と子どもに考えさせる（思い出させる）やり方
- 子どもがやるべきことに自発的に気づくまで、じっと待つ方法（入浴時間に気づかず遊んでいるときなど、子どもが気づくまで待たずに「お風呂に入りなさい」と指示を出すほうがよい）

手順表の例

トイレットペーパーをおもしろがって使いすぎたり、水の流す音が気に入って何度も流したりすることがあるため、回数まで指示しておいたほうがよい

トイレのつかいかた

① トイレのドアをあけて、なかにはいる
② カギをしめる
③ ズボンとパンツをおろす
④ うんちをする
⑤ かみでおしりを3かいふく
⑥ パンツとズボンをあげる
⑦ みずを1かいながす
⑧ ドアのカギをあける
⑨ ドアをあけて、そとにでる
⑩ ドアをしめる
⑪ せんめんじょで、てをあらう
⑫ タオルでてをふく

みずは１かい
ながす
１かいにつかう
かみは
ミシンめ２まい
ぶん

水の流れる音が怖いと感じる子どももいる。その場合は、トイレに入る前に耳栓をし、出てきたときにはずすよう、指示を加えるとよい

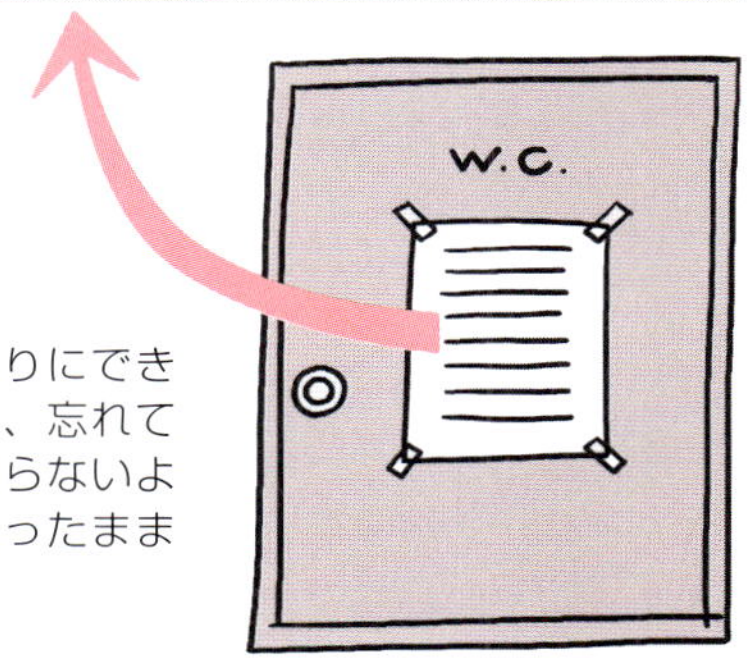
W.C.

子どもが手順どおりにできるようになっても、忘れてしまったときに困らないように、手順表は貼ったままにしておく

家族の一員として役割を与える

自分の身の回りのことができるようになったら、家事の手伝いなどをさせて、できることを少しずつ増やしていきましょう。人の役に立つことで、自立度がさらに高まります。

親から評価されれば自尊感情が満たされる

洋服の着脱、トイレや入浴など、ひととおりの生活上のスキルが身についたら、洗濯物を取り込む程度の簡単な家事から手伝わせるとよいでしょう。家事にかかわるスキルを習得すれば、将来、子どもが自立し、生活していくうえで直接役立ちます。

また、自閉症の子どもは余暇の使い方が不得手です。なにをするのか決まっていない時間を自由に過ごすということができません。ひまをもてあましてしまうようなときに、手伝いをしてもらうことは有効です。

手伝いには、こうしたメリット以上に、「人の役に立つ」「家庭内における存在意義を見いだせる」「自分の居場所が確認できる」といった大きな意味があります。

自閉症の子は、家庭での存在意義を自覚したり、人から頼られることの喜びを感じたりすることは少ないかもしれませんが、「自尊感情」はあります。おかあさんに頼まれたことをうまくやったらほめられた、手を貸したら感謝されたといった経験は、子どもの気持ちの支えになることはあっても、けっしてマイナスにはなりません。

小さなことでもできたらほめる

自閉症の子どものお手伝いは、子ども自身の発達を促す目的で行うものですから、子どものレベルに応じ、できるだけ簡単なことをさせること、ひとつのことができたらすぐにほめること

用語解説

自尊感情

自尊感情とは、自分に対する評価の感情で、自分が価値のある存在だと認める感覚を意味する「自尊心」と似たことばです。

自尊感情は、他人と自分を比較したり、社会のなかに自分を位置づけたりしながら、つちかわれる感覚で、他人や社会とのつながりをもちにくい自閉症の人の場合、ふつうの人ほど強く意識はされないと考えられます。

しかし、自尊感情がまったくないということはなく、成長するにつれて芽生え、養われていくこともわかっています。ことばは話せなくても、悪口を言われたり、笑われたりすると、心で感じ取りますし、ひどく叱《しか》られれば、自尊感情が損なわれます。ふつうの子と同じように、自閉症の子どもに対しても、自尊感情を傷つけるような言動は慎んでください。

が大切です。

自閉症の子どもにできる簡単なお手伝いとしては、食後に自分の食器を下げる、脱いだ衣類を脱衣かごに入れる、遊んだおもちゃを片付ける、などがあげられます。

また、洗濯物を取り込んで、それをたたんで決められた場所にしまうといったことも、手順書などを使ってやり方を教えれば、きちんとできるようになります。

料理の手伝いも部分的には可能です。指示された食材を冷蔵庫から出してくる、野菜を洗う、皮むき器が使えるなら大根やにんじんの皮むきをすることができます。部分的でも自分が手伝ってできたものが最後に完成品になって食卓に出され、それを食べることができるので、子どもの楽しみも増します。

お菓子づくりの一工程を手伝わせたりするのもよいでしょう。

こうした家事スキルも、将来、ひとりでできるようになることをめざして、少しずつ身につけられるように家族は導いてあげましょう。

自閉症の子どもに適したお手伝い

●遊んだおもちゃを片づける

ミニカーをしまう箱には自動車の絵のシールなどを貼っておくとよい

●脱いだ衣類を脱衣カゴに入れる

脱衣カゴに衣服のカードやシールを貼っておくとわかりやすい

●取り込んだ洗濯物をたたむ

難易度の高いお手伝いなので、身辺自立ができてからがよい。衣類のたたみ方の手順書を手元に置いて実践させる

●食後に自分の食器を下げる

自閉症の子どもだけにさせるのではなく、家族全員が実行する

家族のサポート

健康面の管理に気を配る

偏食や睡眠障害など、自閉症の子どもに起こりやすい生活習慣があります。一過性ですむ場合もありますが、健康面に障害が生じないよう気をつけましょう。

睡眠障害には薬を用いることも

自閉症の子どもに多いのは、睡眠障害です。夜なかなか寝られずいつまでも起きていたり、就寝時刻が毎日1時間ずつ遅くなっていくケースもあります。こうした症状も、脳の機能異常が原因で起こると考えられます。

睡眠時間が乱れると、昼間の活動にも支障をきたしますから、できるだけ一定の時刻に就寝し、朝も決まった時間に起きるようにして、睡眠と覚醒《かくせい》のリズムを整えることが必要です。

寝る前には神経を刺激したり、興奮させる活動を抑えるのはもちろんですが、就寝前に行う「儀式」を見つけるとよいでしょう。自閉症の子は変化を嫌いますから、寝る前にはこれをする、

睡眠障害への対処法

お気に入りの毛布が必要、照明は真っ暗にせず豆電球の灯りをつけておく、といったこだわりを認めてあげる

昼間は外遊びや運動をするなど、活動的に過ごすとよい

眠りに仕向けるような「就寝前の儀式」を行う。お気に入りのCDを聞かせる、短時間という条件で添い寝の要求に応じるなど

というパターンが定まると、安定した気持ちで床に就くことができます。

　こうした努力をしても睡眠障害が改善しない場合は、医師に相談して、催眠作用のある薬を処方してもらうとよいでしょう。

偏食は無理に治さなくてもよい

　自閉症の子には味覚や嗅覚《きゅうかく》、触覚に独特の偏りがあり、いろいろな食品を幅広く食べることがむずかしい場合があります。その感覚異常が極端な偏食となって現れることも少なくありません。とはいえ、偏食は一生続くことはなく、多くは一過性のものですから、あまり強制的に好き嫌いをなくす指導をする必要はありません。

　栄養の偏りが著しく、栄養失調などの深刻な健康障害が見られないかぎり、食べられない物を無理やり食べさせるようなことは避けます。

　しかし、なかには、食べられる物が1品か2品しかなく、それ以外はまったく口にしないという子もいます。そのような状況が長期間続くと発育に影響しますから、苦手な食材をそれとわからないように調理したり、子どもの好む味つけにするなどの工夫が必要です。

　調理の工夫でも解決しない場合は、嫌いな食べ物をひと口食べられたら、好きな食べ物をひと口食べさせるというように指導し、少しずつ食べられるようにトレーニングしていく方法を取り入れてみます。

　これらの方法を試してみても、どうしても食べられず、健康上の心配があるときは、医療的な対応（不足している栄養素を薬で補給するなど）が必要になる場合があります。

偏食への対処法

「苦手な食べ物を食べられたら、次に好きな物を食べてよい」というルールをつくり、好物につられて嫌いな物も食べられるようにする
野菜スープをのんだらプリンを食べてもいいわよ
嫌いな食べ物は小さく刻んで混ぜたり、少し濃い目の味つけにしてわかりにくくする
食べおわるまで遊んではいけません！

小学校中〜高学年ぐらいになると、偏食はおおむねなくなるので無理に治さなくてもよい。きびしくすると食事が楽しくなくなってしまう

きょうだいを「よき理解者」にする

おにいさんやおねえさん、弟や妹は、自閉症の子の生涯にわたるサポーターになります。障害について理解を促すとともに、不公平感を植えつけない配慮も必要です。

自閉症という障害を理解させる

きょうだいが小学校低学年ぐらいまでの年齢の場合、その子に障害について理解させることは容易ではありません。きょうだいも、障害のある子どもと同じ「子ども」ですし、その年齢が低いほど障害について理解するのは困難です。ですから、幼いうちに障害について説明する必要はないでしょう。

ただし、上の子が「弟（妹）はほかの子と違っている」とか「私の言うことがわからないようだ」などと訴えてきたときは、「自閉症」という名前は使わずに、「ひとりで遊ぶのが好きなんだよ」「自分が呼ばれていることに気づかないのよ」のように説明し、そういう行動特性があるということを徐々に理解できるようにしていきます。

親が自閉症の子と正面から向き合っている様子を見ていれば、自分も親と一緒に自閉症のきょうだいを支えよう、力になろうという気持ちが生まれ、障害をきちんと受け入れられるようになります。

また、自閉症の子の社会性を育むうえで、きょうだいとのかかわりはきわめて有意義です。

自閉症の子どもにとって、いきなり同年代の子どもと向き合ってコミュニケーションをとることは困難です。その前段階として、きょうだいとコミュニケーションをとる練習ができていれば、外の世界にも出ていきやすくなるでしょう。

とくに、きょうだいが年長であれば、自閉症の子のスキル・トレーニングの

いつも同じ所に同じ物がないと、とても心配になってしまうのよ
耳の聞こえ方がみんなと違っていて、大きな音がとてもこわく感じるの

きょうだいに障害を伝えるときは、自閉症の症状を具体的に話して聞かせる

きょうだいとの接し方のポイント

親がきょうだいとふたりだけになる時間をつくり、話をゆっくり聞き、十分甘えさせてあげる

親が大切に思っていること、愛情をもっていることを日ごろから伝える

×「あなたはしっかりしているから、ひとりでできるわね」など、がまんを強要するようなことは言わない

際、ヒントを出したり、ごほうびをあげたりする役をつとめてもらうこともできます。トレーニングの手伝いをしてもらったときは、きょうだいにもごほうびをあげたり、ほめてあげることを忘れないでください。

不公平感や孤立感を覚えさせない配慮を

しかし、自閉症のきょうだいをサポートしなければならない、親を手助けしなければならないという思いがある反面、親の関心が自閉症の子に集中しがちなことに対する嫉妬《しっと》や不満も起こりやすいものです。

頭ではわかっていても、自閉症のきょうだいには許されるのに、自分には許されないことなどがたび重なると、不公平感やうっぷんをつのらせることになります。

親は、こうした不公平感、不満を解消するために、きょうだいのことも自閉症の子と同じように大切に思っているという気持ちを伝え、愛情を注ぐことを忘れてはいけません。

家族のサポート

どのような学校を選べばよいか

子どもが負担にならず、安定して過ごせる環境を選ぶことが大切です。医師や保育士などの意見も参考にし、必ず、学校を見学してから決めましょう。

養護（特別支援）学校、特殊（特別支援）学級、通常学級、それぞれに長所短所が

子どもの就学にあたり、どの学校を選べばよいか、悩む親は多いことでしょう。最も大切なことは、子どもがその学校に通って、安心して過ごすことができるかどうかです。あくまで、子どもの視点で選んでください。

高機能自閉症やアスペルガー症候群などでは、通常学級や特殊学級のなかで負担なく過ごせる子どももいますが、知的な遅れのある自閉症の場合は、養護学校が選択されるケースが多いようです。

それぞれの学校・学級には、長所短所がありますので、子どもの特性に合わせて、最もふさわしい学校を選ぶようにします。

子どもの到達目標を定めることも大切

学校生活を通して、子どもにどのようなことを身につけてほしいか、その到達目標を定めることも大切です。

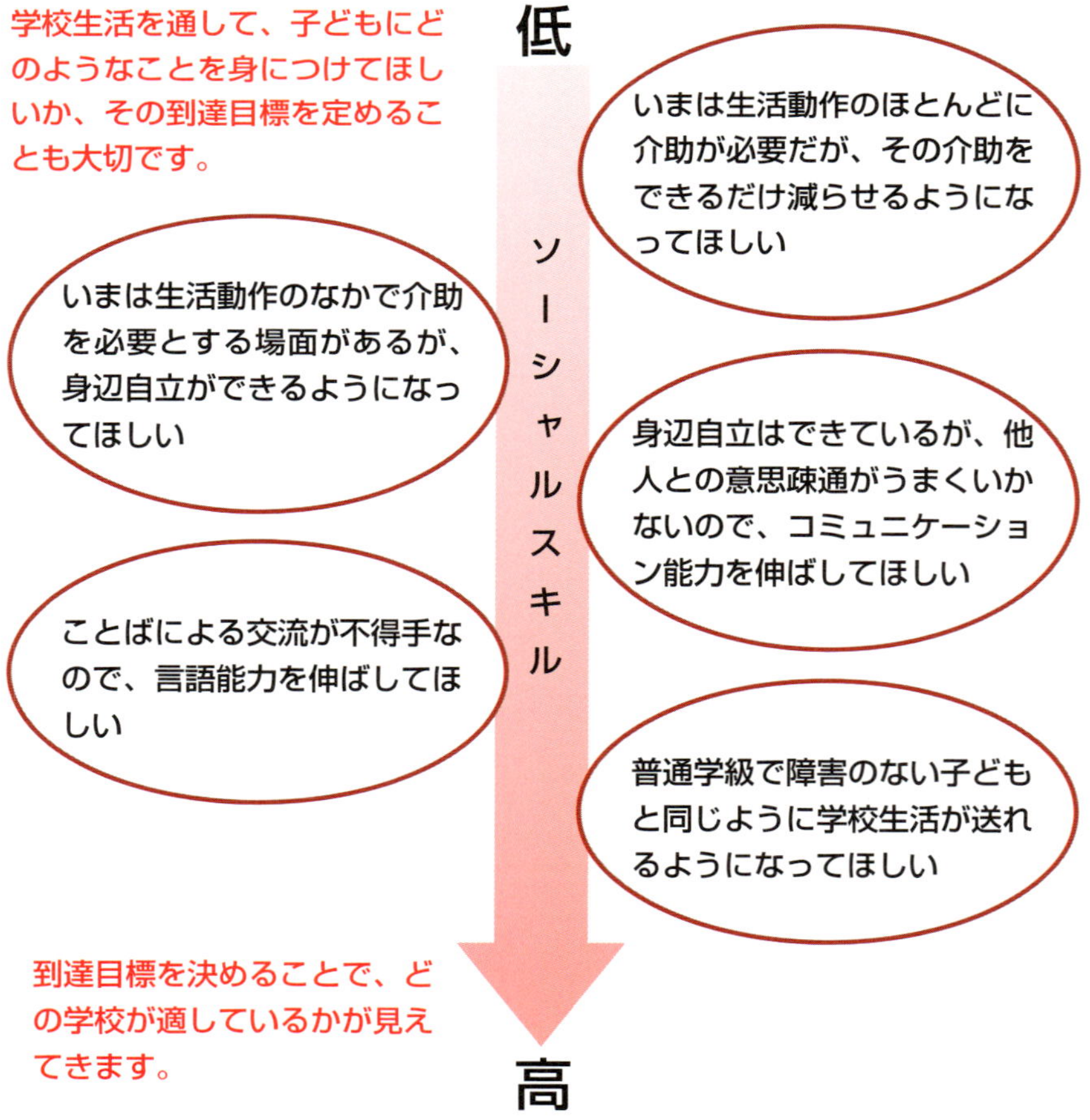

低
ソーシャルスキル
いまは生活動作のほとんどに介助が必要だが、その介助をできるだけ減らせるようになってほしい
いまは生活動作のなかで介助を必要とする場面があるが、身辺自立ができるようになってほしい
身辺自立はできているが、他人との意思疎通がうまくいかないので、コミュニケーション能力を伸ばしてほしい
ことばによる交流が不得手なので、言語能力を伸ばしてほしい
普通学級で障害のない子どもと同じように学校生活が送れるようになってほしい
高

到達目標を決めることで、どの学校が適しているかが見えてきます。

幼稚園の先生の意見を参考に

子どもが幼稚園に通っている場合は、障害がない子どもがたくさんいる集団のなかで、自閉症の子がうまく適応できるかどうか、先生はよくわかっています。学校選びについては、先生にアドバイスしてもらうとよいでしょう。

POINT

学校見学と就学相談

残念ながら、日本の現状では、どの学校でも、療育の専門家が配置され、自閉症の子どもを受け入れる態勢が整っているとは言えません。ですから、自閉症の子どもの就学にあたっては、学校見学を前もって行い、自閉症の子どもを受け入れた経験があるのか、受け入れる態勢を整えているのかを確認しておく必要があります。

また、学校や教育委員会で就学相談にのってもらい、子どもの特性に関する情報と学校側の受け入れ態勢に関する情報などを相互に提供し合ったうえで、それぞれの希望や意見を交わして、話し合うことも求められます。

通常学級

障害のない子どもたちの集団に入るため、手本がふんだんにあり、社会性を伸ばすうえではよい環境と言えます。知的な遅れがなく、障害が軽い場合は、ほかの子どもたちからの刺激を受けながら、さまざまなスキルを向上させていくことが期待できます。

授業を理解することには問題がなく、コミュニケーションだけがはかれない子どもの場合は、週に1～2回、ソーシャルスキルを特別に学ぶ、通級指導学級に通うしくみもあります。

養護学校（特別支援学校）

養護学校のよさは、ひとクラスの人数が少なく、すべての児童に教師の目が十分行き届くという点です。教師の多くは、障害のある子どもの指導・サポートの経験がありますから、安心して子どもをまかせることができます。

しかし、養護学校には障害のある子どもしかいないので、同年代の障害がない子どもの行動やふるまいを見てまねるという機会がありません。ほかの子どもたちからの刺激を受けにくいという点が、短所と言えます。

特殊学級（特別支援学級）

通常学級と養護学校の中間的な存在で、普通学校のなかにある障害者のみのクラスのことです。校内には通常学級がありますから、特殊学級の子どもがときどき通常学級を訪れ、そこの子どもと一緒に授業を受けること（交流級）もあります。

子どもにある程度コミュニケーション能力があり、こだわりなどがあまりない場合で、通常学級の教師も自閉症に対する認識があり、通級してきても対応できる態勢が整っているのであれば、望ましい環境と言えるでしょう。

そこが知りたい！

自閉症についてのQ&A

……親の悩み……

Q 電車に乗っているときや、人込みの中に出たときに奇声を発することがあり、困っています。やめさせるにはどうすればいいでしょうか?

A そのような行動をとる原因・きっかけを見つけてください。電車や人込みの中は不安や緊張が強まるので、気持ちを落ち着かせるために奇声を発していることが考えられます。その場合は、子どもの興味を引くおもちゃや絵本などを与えるとよいでしょう。おとなしくなったら、やさしくほめてあげることも大事です。ただし、周囲にひどく迷惑をかける問題行動でないかぎり、あまり神経質になる必要はありません。

Q 通常学級に通っている小学1年生の子どもが自閉症と診断されました。子ども自身に自閉症であることを伝えるべきですか?

A 子どもの年齢、機能の高さによりますが、基本的には伝える必要はありません。本人が自分の不適応を自覚し、悩んでいる場合は、障害について話してあげるほうがいいこともありますが、そうしたケースはむしろまれです。

Q 最近、少年犯罪がよく報道されます。そうした少年のなかに自閉症の子がいると聞き、心配です。自閉症児は犯罪を起こしやすいということでしょうか?

A 自閉症の人が障害のない人に比べて犯罪を起こす確率が高いことを示すデータはどこにもありません。自閉症は、他人とコミュニケーションをとることが不得手ですから、トラブルに巻き込まれやすいということは言えます。トラブルを減らすためには、近隣の人に障害のことを話して理解してもらい、地域のなかで見守ってもらえるよう、協力を求めることも必要です。

Q いじめられたり、からかわれたりしているようで、学校に行くのをいやがります。無理に行かせるのもかわいそうで、どうすればいいか悩んでいます。

A 担任の先生にそうした事実があることを告げ、対応策を考えてもらうことです。先生に理解があれば、障害についてクラスの友だちに説明し、いじめたり、からかったりする行為が間違っていると指導してくれるでしょう。学校での対応は先生にまかせるしかありません。先生と知識・情報を共有し、子どもの状況についてお互いが知らせ合い、連携をとることが必要です。

5章

幼稚園や学校では
このようにサポートする

園でのサポート

集団生活のなかで子どものハードルを見つける

園生活を通して、保護者では気づかない子どもの特性が見えてきます。園で得られた情報を先生が保護者に伝え、課題や目標を共有することが大切です。

家庭から社会へ踏み出す最初のステップ

自閉症の子どもが幼稚園や保育園に入ると、それまで家庭で自分のことをよく理解し、自分に合わせて接してきてくれた親やきょうだいとは異なる人たちの集団のなかに入ることになります。人とのかかわりをもちにくい自閉症の子にとっては、きわめて大きな環境の変化と言えます。

こうした環境の変化は、自閉症の子どもにとってストレスに違いありませんが、同時に、ほかの子どもたちとふれあい、そこから得られる刺激を通して、社会性を身につけるチャンスでもあります。

幼稚園や保育園の先生は、自閉症の子どものとまどいや不安、悩みを受け

ほかの園児がよいお手本に

友だちをつくることはできなくても、ほかの子どもが周囲にいることを意識するようになるだけでも、社会性を育むための第一歩になります。

やがて、あいさつや整列、片づけなどの生活動作・活動も、周囲の子どもたちにつられてできるようになることがあります。

止めながら、幼稚園・保育園という小さな社会のなかで、少しずつでもできることを増やしてあげることが求められます。

「集団の力」が自閉症児の成長を手助けする

幼稚園・保育園では、同年代の子どものふるまいが自閉症の子どもの生活動作や活動の手本になります。

家庭で保護者が教えてもなかなか覚えられないことも、ほかの園児たちが実際にやっているところを見ると、それをまねして、自分もできるようになることがあります。

遊《ゆう》戯《ぎ》や歌なども、みんなのすることをまねているうちに、部分的にできるようになります。

このように、同年代の子どもによる「集団の力」が働くことで、自閉症の子どもは日常生活に必要なスキルや社会性を身につけていくことができるのです。

園の先生は、集団の力の意義を理解し、上手に活用してほしいものです。

園生活での問題点を親と話し合う

自閉症の子どもを同年代の子どもの集団のなかにおいて見る、という経験は、幼稚園や保育園でなければできないことです。集団のなかで自閉症の子どもに着目すると、ほかの子どもにはできてもその子にはできないこと、つまり、ハードルが見えてくるものです。

家庭で保護者が気づかないような問題点が、園の先生の目で見ると、浮き彫りになってくることはめずらしくありません。

先生は、子どもをよく観察し、行動や活動について気になる点があれば、そのつど保護者に報告し、対処法を一緒に考えていくことが大切です。

幼稚園・保育園のメリット

友だちがつくれない、集団生活が苦手といった自閉症の特徴には、親よりも園の先生が早く気づくことが多い

園では保護者が気づきにくい子どもの特性（ほかの子どもとの違い）を見つけることができます。子どもの特性は、就学にあたり、どのような学校環境がふさわしいかを考える際の参考にもなります。

園でのサポート

遊びを通じて社会性を身につける

社会性を身につけるための大切なトレーニングの場となるのが「遊び」です。幼稚園などの集団のなかで、同年代の子どもとふれあいながら習得します。

ほかの子とかかわりながらコミュニケーション能力を体得する

就学前の自閉症の子どもにとって、「遊び」は療育《りょういく》の大きな要素です。この年代の子どもにとって、遊びの場面で学ぶべきことはたくさんあります。たとえば、おもちゃを使うことによって、道具の扱い方や物の操作のしかたなどを覚えることができます。

さらに重要なのは、他人とのかかわり方を習得するうえで、遊びが最良の機会になることです。自閉症児にはむずかしい他人とのコミュニケーションのとり方は、遊びを通じて体得していくしかありません。

学校に通うようになってからも、授業時間以外の自由時間に、ほかの子どもたちに交じって遊ぶことは、社会性

遊びを通じて得られるスキル

おもちゃや道具を、本来の使い方に従って正しく使う

やり方がわからないとき、ほかの子どもを見てまねる

POINT

遊びの発達段階

ひとり遊び　おもちゃなどを使いながら、ひとりで遊ぶ

平行遊び　ほかの子どものそばで、お互いがかかわり合うことなく、それぞれの遊びをする

対面遊び　ほかの子どもと一緒に、同じ遊びをする（1つのパズルを仕上げるなど）

順番遊び　ほかの子どもと一緒に、同じおもちゃや遊具を共有しながら遊ぶ（ほかの子どもがおもちゃや遊具を使っている間、順番を待つ）

グループ遊び　複数の子どもと、決められたルールのもとで遊ぶ（おにごっこやドッジボールなど）

ごっこ遊び　複数の仲間で役を分担して決め、その役になりきって演じる（ままごとやお店ごっこなど）

を身につけていくうえで大きな意味をもちます。

一対一の遊びから ごっこ遊びまで

子どもの遊びには「レベル」があります。最初は「ひとり遊び」からスタートし、「平行遊び」「対面遊び」「グループ遊び」と段階を経て、最も高い機能を必要とする「ごっこ遊び」に到達します。

遊びのレベルは、子どもの発達とともにアップしていきます。幼いときはひとりで遊んでいたのが、しだいに友だちとのかかわりを求めるようになり、複数の友だちとルールや役割などを決めながら、遊ぶようになります。

しかし、想像力を働かせ、なにかの役になりきって演じるごっこ遊びは、自閉症の子どもにとってはいちばんむずかしく、トレーニングを重ねたとしても、すべての子どもができるようになるわけではありません。

ごっこ遊びは無理でも、ひとつのおもちゃを友だちと共有したり、順番を待ったり、決められたルールを守ったりしながら行う、対面遊びやグループ遊びであれば、練習を重ねることでできるようになります。

本人がひとり遊びを楽しんでいる場合は止める必要はありませんが、ときどき、ほかの子どもたちと交わることができるように導いてあげましょう。

また、自閉症の子がほかの子どもとのコミュニケーションにつまずいているようなら、先生がそれぞれの気持ちを伝える橋渡しの役を果たすことが必要です。順番やルールが守れず、トラブルになったりしたときは、そのつど指示をして、自閉症の子が適応行動をとれるようにしていきます。

1つの遊具やおもちゃを、ほかの子とゆずり合うために順番を待つ

けんかやトラブルを起こさないために、ルールを決め、それを守る

負けた人がおにだよ

遊びをもっと楽しむために、仲間とコミュニケーションをとる

ねえ、一緒にドッジボールやらない？

学校での対応

学校では、安定して過ごせる配慮を

視覚刺激に敏感な自閉症の子どもが集中でき、安定して過ごせるように座席の配置などを工夫します。また、パニックになったときの「逃げ場」も必要です。

視覚的な刺激の少ない場所を用意する

自閉症の子は視覚的な刺激に敏感です。目から入ってくる情報が多いと、気が散って集中しにくくなるうえ、ささいなことに反応し、パニックを起こすおそれもあります。

また、自閉症の子は、みんなに出された指示をのみこめないことがあるため、先生はもう一度その子に説明しなければならないことがあります。

そのようなことを考慮して、教室内での席は、窓側や後方、出入り口の近くは避け、できるだけ教壇の近くにするといいでしょう。

席替えをするときは、ほかの児童だけにし、自閉症の子の席は変えないように配慮します。

教室を移動するときはあらかじめ説明する

小学校の場合は、授業や課題によって教室を移動することはあまりなく、同じ教室で1日を過ごすことが多いのがふつうです。

日常的に過ごす部屋が定まっていることは、変化を嫌う自閉症の子どもにとっては好ましいことですから、その室内に本人が落ち着いて過ごせる場所を確保してあげることが大切です。

授業によって校庭や体育館、音楽室、理科室などに移動するときは、移動する直前でなく、前もって子どもに知らせておく必要があります。その場合は、絵や写真などを用い、移動先の場所や教室で、なにを行うのかもわかるようにしてあげるとよいでしょう。

アドバイス

物の位置を変えない

クラスに自閉症の子がいる場合は、先生やほかの子どもの協力が必要です。自閉症の子は自分の机の位置が少しずれていただけでもパニックになることがありますし、いつも置かれてあるところにゴミ箱がないというだけで泣き出したりします。清掃のあと、机を元に戻すときには、自閉症の子の机がいつも通りの位置にくるように、床にビニールテープなどで印をつけておくとよいでしょう。

自閉症の子の近くに置いてある物をどうしても移動させなければならない場合は、前もって、「窓側の棚にもって行くけど、いい？」と声をかける配慮が求められます。

席を決めるときに配慮したいこと

窓側の席は、光や外の景色・音などが刺激になるのでふさわしくない

前列で、先生の立つ位置に近く、個別に指示が出しやすい席がベスト

隣の席の子の声や動きを気にするような場合は、隣の子どもと机を並べないほうがよい

絵や習字、標語などが貼られた壁の近くも気が散るので避ける

出入口付近は、落ち着かないので避ける

パニックにおちいったときに引きこもれる場所も必要

先生がいろいろな配慮をしていても、自閉症の子が突然パニックを起こしてしまうことがあります。

たとえば、それまでなにも貼られていなかった教室の壁に、絵や習字が貼り出されたりすると、教室の様子ががらりと違って見えるため、不安が強まって泣き出すことがあります。クラスのみんなは、なぜ泣いているのかわからず、とまどってしまいます。

そのようなことが起こったとき、子どもが気持ちを落ち着かせるための、引きこもる部屋や空間を用意しておくことも大切です。

引きこもる空間は、ほかの子どもたちがいない、狭いところが適しています。保健室や校長室などを利用してもいいでしょう。子どもによっては、逆に体育館などの広い場所が落ち着く場合もあります。その子の特性に合わせ、最も安定できる「避難場所」を見つけてください。

時間割や手順を、できるだけ変更しない

1日の時間割、1週間の予定を定め、それに沿った生活が送れれば子どもは安定します。予定変更は絵や文字カードを用いて、前もって知らせるよう配慮します。

どこでなにをするかを示した細かい時間割をつくる

いまからなにをやればいいのか、このあとどこでなにをするのか――その見通しがつかないと、自閉症の子どもはたいへん不安になります。ですから、わかりやすい時間割や予定表を作成し、掲示しておくことが欠かせません。

学校の時間割は、「1時間目・国語」「2時間目・算数」と示すだけでなく、1時間目、2時間目の始まる時刻を示します。文字がわからなければ、時計の絵で示すようにします。

その授業が行われる部屋も「教室」「算数ルーム」「体育館」などと記しておくとよいでしょう。

また、時間割は自閉症の子の近くに貼り、その位置は変えないようにしま

時間割変更は目でわかる形で予告する

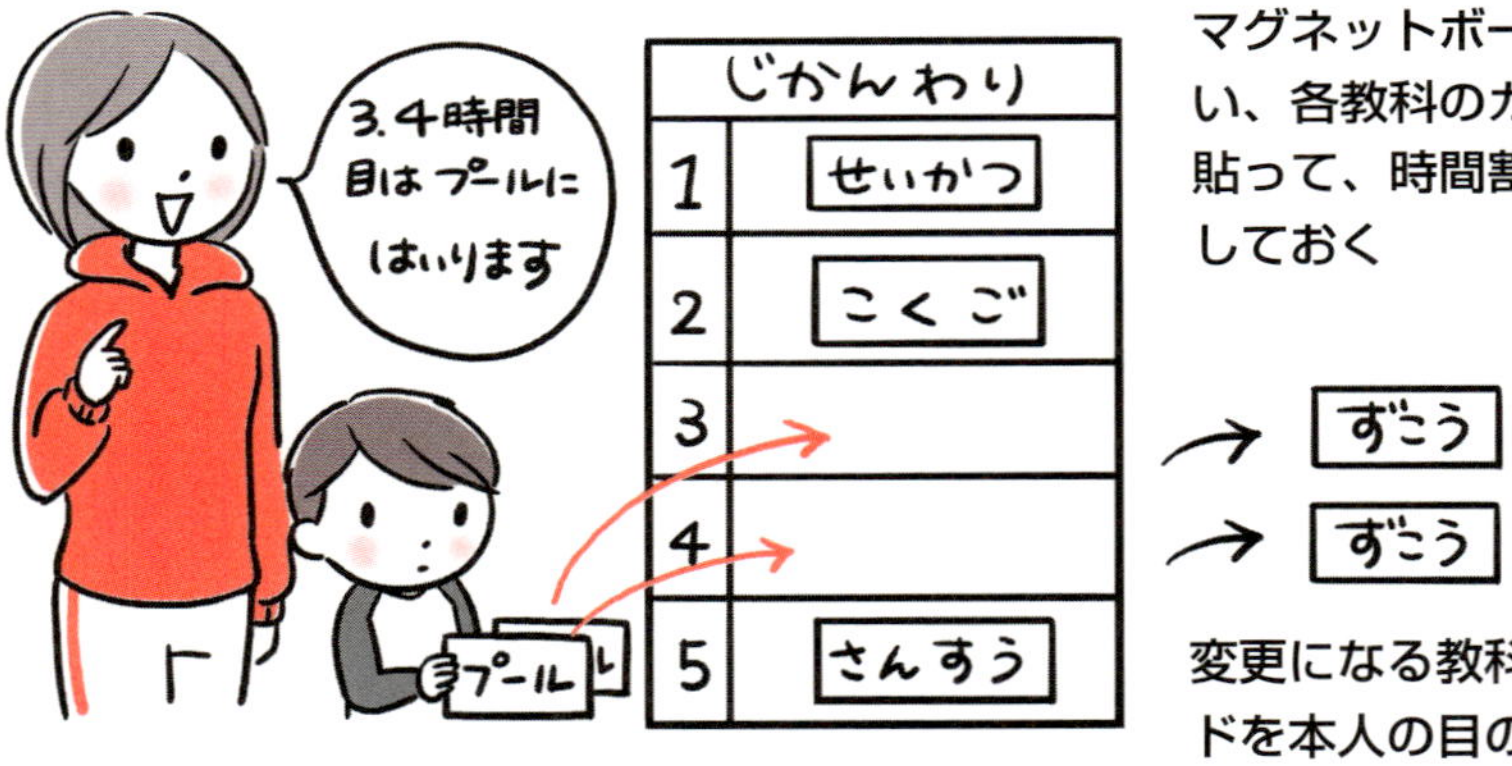

マグネットボードを使い、各教科のカードを貼って、時間割を掲示しておく

変更になる教科のカードを本人の目の前でつけ替える。あるいは、本人につけ替えさせる

自分用のスケジュール帳も書き替える

子どもが自分で書ける場合は、自分で記入させたほうがよい

す。子どもがいつでも、同じ所に行って確認できるようにしておくことが大切です。

時間割を教室の壁に貼るだけでなく、子ども自身にもスケジュール帳をもたせて、いつでも見られるようにしておくといいでしょう。

授業の進め方も具体的に伝えておく

時間割と同じく、ものごとを進める順序もきちんと決めて、自閉症の子が見通しを立てられるようにしておくことも重要です。

たとえば、国語の時間の場合、「最初は教科書の30ページをみんなで声を出して読む。次に漢字の練習する。最後に先生の出した問題を解く」というように、1時間のなかで、なにをどのような順番でやるのかがあらかじめわかっていると、安心できます。

自閉症の子どもにだけ、授業が始まる前に「きょうは、このようなことをこの順番でやりますよ」と伝えておくといいでしょう。

行事は写真などを使って前もって知らせておく

運動会や遠足、学芸会などの行事について、自閉症の子どもに予告し、理解させるためには、絵や写真を使う方法が有効です。

遠足の場合は、バスに乗る時間、現地到着時間、何時までどこでなにを見学するのか、何時にお弁当を食べるのか、その後、何時までどこで遊ぶのかといった流れを、バスの写真や現地で撮影してきた写真などを使いながら、時間や場所とともに示すと、自閉症の子も理解できます。

アドバイス

変更に従えないときは無理をしない

時間割の変更を前もって絵や写真を用いて指導したとしても、やはり、そのときになってみると、どうしても変更に従えない場合もあります。そのときは、無理強いをしないようにしましょう。とくに、運動会や卒業式の練習など、ふだんの授業とは異なる活動は、自閉症の子どもにとっては負担が大きくなります。本人がどうしてもいやがるときは、練習には参加させず、少し離れたところで見学させてもよいでしょう。何度か練習を見学しているうちに、少しずつ参加できるようになる場合もあります。

本人の抵抗が強いときは、別の先生に見てもらいながら、室内で自習させるなどの柔軟な対応も必要です。

学校での対応

指示を出すときは、できるだけ簡潔に

自閉症の子どもに指示を出すときは、絵や文字カードなどの視覚情報にするのがポイントです。口頭の場合は、簡潔に指示します。

声で出す指示より視覚情報が伝わりやすい

自閉症の子どもに指示を出すときは、視覚的に伝わる方法を用いるのが基本です。自閉症児は聴覚認知よりも視覚認知のほうがすぐれているからです。

クラスのみんなに対しては、声で指示をする場合でも、自閉症の子には、同時に指示の書かれたカードなどを差し出し、理解を促すようにします。

たとえば、クラスのみんなには「校庭に出てください」と声をかけながら、自閉症の子には、校庭の絵や写真を見せ、「校庭に出てください」と近くで声をかけるとよいでしょう。その際、自閉症の子は大きな声をこわがることがあるので、ソフトな声で話すようにします。

子どもが文字をよく理解しているのであれば、絵や写真ではなく、文字を書いたカードを用いることもできます。自閉症の子どものなかには、ふつうの子どもと比べて、文字の記憶や理解に秀でた子もいます。そのような子どもに対しては、文字を活用することをすすめます。

一度に伝える情報はひとつだけにする

自閉症の子どもは一度に複数の情報を受け取ると、混乱します。課題の手順などを説明する場合は、最初の手順だけを教え、それができたら次の手順を教えるというふうに、ステップを踏むことが大切です。

指示を出したり、注意したりするときは、「ダメ」「いけません」「やめな

指示は一度にひとつ

「○○したら△△をして、終わったら提出してください」のように、いっぺんに言われると混乱してしまいます。最初の手順だけを教え、それができたら次の手順と、段階ごとに伝えます。

プリントをくばります
プリントをもらうんだ

プリントを机の上に置く

さい」など、制止することばは使わないように気をつけます。否定するだけでは、代わりにどのような行動をとればよいか、自閉症の子にはわからないからです。「止まりなさい」「こちらに来なさい」「手をひざの上に置きなさい」というように、具体的な指示を出すようにします。

先生の指示を守ったり、注意されたことを守ったときは、ほめてあげることも忘れないでください。ほめられれば、子どもはそうした行動が期待されているということを理解し、しだいに指示を出されなくても、自発的にできるようになってきます。

適応行動は「強化」して身につけさせ、さらに、似たような場面でも応用できるように導いてあげましょう。

机の上に「ルール」を貼っておく

授業中、黙って外に出て行ってしまう、ひとりごとが始まると止まらないなど、授業の妨げとなる行為が目立つときは、最低限のルールを決め、それを紙に書いて、子どもの机の上に貼っておくとよいでしょう。

- 授業中、だまって教室を出ていかない
- おしゃべりはしない
- 大きな声を出さない
- お友だちをたたかない

どうしてもルールが守れないときのための決まりもつくっておく

- 授業中、教室を出たくなったら、先生にいう
- おしゃべりは5分でやめる

問題を解き終わる

名前が書き終わる

得意な科目や能力を伸ばしてあげる

自閉症の子どもに対しては、絶対評価が基本です。好きなこと、得意なことには積極的に取り組ませ、達成感や楽しさを味わわせることが大切です。

得意科目で能力を伸ばし、達成感を味わわせる

自閉症の子どもの場合、子どもの特性によって学習能力には幅があります。

ことばを覚え、読んだり、書いたり、話したりすることができる高機能自閉症の子どもの場合は、おおむね、通常の授業を受けて、理解することができますが、ことばの能力が低い場合は、通常学級の授業を受けることはむずかしいと言えます。

また、自閉症の子の場合、得意な科目・好きな科目と、不得意な科目・嫌いな科目がはっきりと分かれやすく、得意なことや好きなことには熱中しますが、不得意なことや嫌いなことには見向きもしない、というケースが多いのです。

こうした子どもに対し、不得意な科目や嫌いな勉強を強制するのは好ましくありません。ふつうの子どもに不得意科目を克服させるのと同じような要求を、自閉症の子どもに強いたとしても、やる気を起こさせることは困難ですし、本人にとっても劣等感やつまらなさが先立ち、うまくいきません。

自閉症の子どもの場合は、得意な科目や好きな勉強に積極的に取り組ませるようにし、その能力を伸ばしてあげることを心がけます。

得意な分野で成功したり、うまくできるようになれば達成感が得られ、楽しさも増します。

また、ほかの子どもたちから高く評価され、一目置かれたりすることが、自尊感情を向上させることにつながります。

さらに、得意な科目があれば、自閉症の子どもはその科目に取り組んでいるときは、自信をもち、安定した気持

POINT

ひとりひとりに合った個別教育を

従来、学校での指導カリキュラムは、クラスごと、学年ごとにつくられていましたが、最近では、子どもひとりひとりの特性に合わせた個別の指導計画が必要だという考え方が広がっています。とくに、発達障害の子どもの場合、それぞれの障害の程度や行動特性に合わせた配慮が必要になります。

新しい個別教育の考え方では、親がこのような教育を受けさせたいという希望を先生に出し、それにもとづいて、先生が各自に合った個別プログラムを作成することが理想とされています。さらに、現場での指導に当たっては、心理の専門家などにも介入してもらうことが望ましいと言えます。

ちで過ごすことができます。得意な科目や好きな課題があることで、自閉症の子どもの学校生活は、より充実したものになるはずです。

ほかの子どもと比べず、本人の発達度を評価する

通常学級では、クラス全体の平均と比べて、その子どもがどれくらいできたかを評価する「相対評価」の手法がとられます。しかし、自閉症の子どもに相対評価は不適当です。自閉症の子どもに対しては、その子自身が前と比べてどれくらい伸びたかを見る「絶対評価」を用います。

自閉症の子どもには、その子ひとりひとりに合ったものさしが必要なのです。そして、子どもの理解が進んだり、できなかったことがうまくできるようになったときは、しっかりほめてあげましょう。

ほめられ、評価されることは、子どもに達成感を覚えさせ、もっとがんばろうという意欲を引き出すことにつながります。

得意科目があることのメリット

自信をもって、安定した気持ちで取り組める教科があると、学校生活が楽しくなる。これが大きなメリット

もし、授業中にパニックになったり、不安定になったりしたときは、特別に得意教科に切り替えて取り組ませるとよい（国語の授業中でも、自閉症の子だけ、本人の好きな算数ドリルをやってもよいことにするなど）

得意科目でよい成績をおさめれば、自信がつき、不得意科目もがんばろうという意欲が芽生えてくる

ただし、どんなにがんばってもできないことがあります。努力すれば必ずできると、期待をかけすぎないことが大切です。

問題行動を起こしたときの対応のしかた

問題行動が起こりやすい状況をつくらないように配慮することが第一です。もし起こったときは、子どもが安定できる環境を確保するように努めます。

問題行動を「やめさせる」のではなく、「起こさせない」

自閉症の子どもは、つばを吐く、大声や奇声をあげる、自分の頭を壁に打ちつける、周囲の友だちをたたいたりかみつくなどの問題行動を起こすことがあります。

こうした行動を学校で起こすと、「ほかの子どもに影響するから、すぐにやめさせるべき」と考えがちですが、それは間違いです。

問題行動は、「起こったらやめさせる」のではなく、「起こさないようにする」という考え方に切り換えることが重要です。

自閉症の子が問題行動を起こすときは、必ずなんらかの理由があります。それは周囲の人たちには理解できないようなことかもしれません。

たとえば、授業を受ける教室が突然変更になった、自分の机の位置が少しずれていた、あるいは、外で犬の吠《ほ》え声がしたなど、ふつうの子どもなら驚きもしない出来事であっても、自閉症の子はパニックになることがあります。

しかし、教室の変更を事前に知らせておく、机の位置が変わらないようクラスのみんなで配慮する、外の音がなるべく聞こえないよう窓から遠い席にするなど、あらかじめ対応していれば、パニックを防ぐことができます。

子どもの苦手なことがなにか、どのような場面でパニックになりやすいかを、保護者から情報を得るとともに、先生自身も子どもを観察しながら把握して、子どもが安定した気持ちで過ごせるように環境を整えることが大切です。

アドバイス

古い「平等主義」は捨てる

通常学級内に、自閉症などの発達障害の子どもを受け入れているケースでは、障害のある子どもには、特別な支援や配慮が必要になりますし、ほかの子どもと比べて先生が手をかける機会も多くなるのがふつうです。

日本では長らく、先生がクラスの全員に平等に目をかけ、手をかけるべきだという「平等主義」が根づいてきました。しかし、子どもの個性は千差万別で、先生のサポートがたくさん必要な子もいれば、そうでない子もいるのが現実です。その現実に目を向け、支援を必要としている子が教室で「置き去り」にされないよう、個々の子どもに合わせた柔軟な支援のしかたが求められています。

基本的には放っておき、自然におさまるのを待つ

パニックが起きたときは、本人や周囲の子どもに危害が及ばない範囲では、放っておくのがよいとされています。無理にやめさせようとすると、ますます興奮してひどくなることが多いからです。

できれば、友だちの視線がなく、子ども自身が安定できる場所（保健室や校長室など、115ページ参照）に連れて行き、補助教員など大人がつき添った状態で、興奮が自然におさまるのを待ちます。

つば吐きや大声をあげる、ひとりごとを続ける、教室の隅に逃げて動かなくなる、といった不適応行動についても、基本的には無視します。しかし、こうした行為にも、たいていなんらかの理由があるものです。

課題がむずかしくて取り組みたくない、先生や友だちの関心を引きたい、あるいは退屈だからなど、それぞれに理由があることを考慮して対処しましょう。課題がむずかしすぎるのなら、もっとやさしい問題を出してあげたり、退屈なら子どもの興味を引く課題を与えるのもよいでしょう。

そして、子どもの問題行動がおさまったら、その時点でほめてあげることを忘れてはいけません。

こうした行動をやめれば、先生や友だちによく思われるという学習を繰り返すうちに、問題行動も減っていきます。

心理の専門家に指導してもらう方法も

子どもが学校でときどきパニックを起こし、その原因が先生にも保護者にもわからない場合は、臨床心理士など心理の専門家に協力してもらうことも検討しましょう。

専門家なら、自閉症の行動特性にくわしく、多くの事例を見てきているので、子どもの様子を短時間観察しただけで原因を判断することができます。対処のしかたにも慣れていますから、適切な指導方法をアドバイスしてもらえます。

心理の専門家に協力してもらう

用語解説

臨床心理士

カウンセラー、セラピスト、心理職などと呼ばれる心理の専門家のうち、心理学の知識や諸技法を生かして、心の問題解決を援助する人のことを言います。

活動分野は多岐にわたりますが、教育の分野では、自治体が設置する教育相談室・教育センターなどに配属され、援助にあたっています。

担任の先生だけでなく、学校全体で支援する

発達障害の子どもを預かる学校は、担任の先生ひとりにまかせず、学校全体でその子を支援する態勢をつくる必要があります。

学級担任ひとりにすべての解決をゆだねない

通常学級のなかに、自閉症をはじめとする発達障害の子どもがいる場合、クラス運営にさまざまな支障が生じやすくなります。

たとえば、障害のある子どもにつられてほかの子どもたちも落ち着きがなくなったり、学業成績が低下するなど、クラス全体に影響をおよぼすこともあり得ます。

こうした問題に対し、クラス運営の責任者は担任の先生だからと、担任ひとりに解決をゆだねることはできません。通常学級を担任している多くの先生は、発達障害に関する専門家ではありませんし、障害のある子どもの指導経験が豊富でもありません。

その一方で、通常学級にいる子どもの6・3%がなんらかの特別な支援を必要としているのが現実です。6・3%とは、40人学級に換算すれば、クラスに2・5人、支援の必要な子どもがいることになります。

これだけの割合で存在する要支援の子どもを、発達障害の専門家でもない担任の先生に、ひとりで対応しなさいと押しつけることはできません。

校内委員会を設け、学校全体で対応していく

6・3%という数字の大きさに、国も早急な支援態勢づくりに乗り出しています。文部科学省が打ち出している「特別支援教育のあり方」では、発達障害の子どもを学校全体で支援する態勢の整備を強く呼びかけています。

用語解説

特別支援教育

これまでの障害児に対する教育は、障害の程度が比較的重い子どもを対象とした、養護学校や特殊学級における「特殊教育」が主体でした。

しかし近年、通常学級での学習・生活が可能な発達障害の子どもの存在に目が向けられるようになり、そうした子どもを対象にした新たな支援の必要性が高まってきました。

「特別支援教育」とは、主に発達障害の子どもを対象に、2003年に文部科学省が打ち出し、推し進めている教育的支援のあり方のことで、「幼児児童生徒ひとりひとりの教育的ニーズを把握して、保護者をはじめ福祉、医療、労働などのさまざまな関係機関との連携・協力のもとに適切な教育的支援を行うもの」と定義されています。

校内委員会の役割

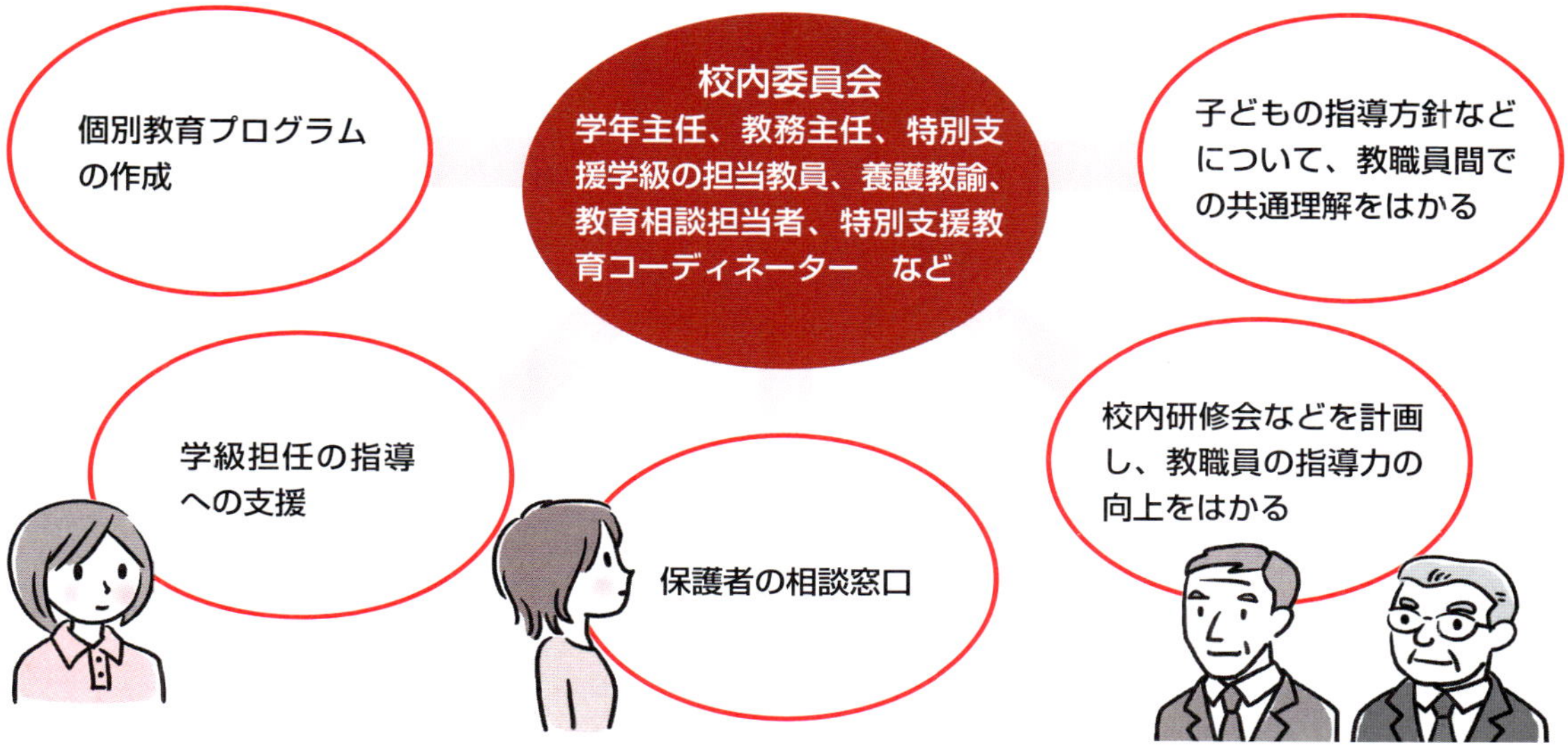
校内委員会
学年主任、教務主任、特別支援学級の担当教員、養護教諭、教育相談担当者、特別支援教育コーディネーター　など
個別教育プログラムの作成
子どもの指導方針などについて、教職員間での共通理解をはかる
学級担任の指導への支援
保護者の相談窓口
校内研修会などを計画し、教職員の指導力の向上をはかる

特別支援教育コーディネーターの役割	
校内委員会の推進役	特別な教育的支援を必要としている子どもを把握し、その支援に必要な提案、対策を行う
連絡・調整役	子どもの支援にかかわる教職員、保護者、必要に応じて外部の医療機関や相談機関などに連絡をとり、情報交換・情報共有に努める
保護者の相談役	子どもや保護者の希望を聞き、問題点や悩みなどに対応する
学級担任の支援役	担任の先生から情報を得て、指導方法などに対するアドバイスをしたり、問題の解決をはかる

具体的には、各学校の校長、副校長、教務主任、学級担任、学年担任などで構成された「校内委員会」を設け、支援の必要な子どもの存在に気づき、その子どもたちに個別教育プログラムを作成したり、学級担任の指導に対する支援を行うなどの活動を展開します。

さらに、教職員のなかから、特別支援教育の推進役であり、学校内外の関係者や保護者との連絡窓口となる「特別支援教育コーディネーター」が選出されます。このコーディネーターが、学級担任からの相談にのったり、必要なアドバイスを行ったりして、学級担任をサポートすることになります。

学級担任は、自分のクラスに発達障害が疑われる子どもがいる場合、ひとりで問題解決にあたろうとするのではなく、校内委員会に情報をあげて、学校全体で対応するよう働きかけるべきです。

保護者に対しても、学級担任が独自に意見交換をするのではなく、校内委員会の方針に沿った、学校としての意見を提示するようにします。

学校での対応

保護者との信頼関係を築く

保護者と情報を共有し、同じ方針をもって、協力しながら子どもを支援していくことが大切です。じっくりと時間をかけて信頼関係を築きましょう。

障害を認めたがらない保護者に受診をすすめるのは逆効果

学級担任の先生が、自閉症などの発達障害が疑われる「気になる子ども」の存在に気づいたとき、その状況を保護者に説明したとしても、子どもの障害を受け入れようとしない親は少なからずいます。

　そうした保護者に対し、教師が自分の口から「障害がある」とか「自閉症ではないか」とは言いにくく、「一度、医療機関でみてもらったほうがいい」と、遠回しにすすめることがあります。しかし、こうした対応のしかたは、逆効果になることがあります。

　自分の子どもに障害はないと信じている保護者からすると、「先生が、子どもに『障害者』というレッテルを貼った」と受け止められ、教師に対する不信感を強める結果となるからです。「レッテルを貼られたわが子は、クラスで区別（差別）され、ともすれば、転校を余儀なくされるかもしれない」と、保護者は身構えます。一度、保護者にこうした気持ちを抱かせてしまうと、学校側との信頼関係を築くことはきわめて困難になります。

学校で、子どもの状況を直接見てもらう

保護者が「障害ではない」「支援の必要はない」と拒めば、子どもの支援をそれ以上先に進めることはできません。すべての支援は、保護者が障害を受け入れるところから始まると言っても過言ではありません。

　もし、保護者が子どもの障害をなか

通常学級で支える場合は

○○さんは
私達のクラスで
学習していけますよ
よろしく
お願いします

保護者が通常学級を希望し、学校側も自閉症の子どもを通常学級で支援していくという方針が定まっているのであれば、保護者と面談し、支援のしかたなど、細かなことを話し合うようにしましょう。保護者との信頼関係を築いていくためにも、先生が「私たちで支えていきます」という意思を示すことはきわめて重要です。

なか受け入れないのであれば、学校に来て、クラスのなかでの子どもの様子を見てもらい、ほかの子どもたちとの違いや、子どもが抱えている問題を認識してもらうことも必要でしょう。

保護者が自分の子どもに課題があることを理解すれば、医療機関への受診もすすめやすくなります。

また、学校が主導的に、小児科・児童精神科の医師や心理の専門家などに介入してもらうよう働きかけ、その医師から保護者に、子どもの特性や障害について説明してもらうといった対応もできるでしょう。

障害を受け入れることに抵抗を感じていた保護者でも、実際に学校現場で支援が行われ、子どもがその支援によってよい方向に変化していく様子を見れば、子どもにとって、なにが最も大切であるかを実感するはずです。

そして、保護者と教師が子どもに関する情報を互いに交換し合い、共通の認識のもと、子どもにとってよりよい支援を実践するために協力できるようになることが理想と言えます。

同級生の保護者に理解を求める

通常学級において、他児の保護者に自閉症の子どものことを理解してもらうのは、たいへんむずかしいことです。その子どもに先生が特別な配慮をすることを、多くの保護者は快く思いません。しかし、現在、全国の学校現場で進められている「特別支援教育」（１２４ページ参照）では、とくに手をかけなければならない子どもには、相応の支援をするべきとされています。

教師はこうした新しい教育のあり方について保護者に説明し、ひとりひとりに対する支援のしかたはそれぞれの個性に応じて異なることに理解を求めましょう。

また、「障害」という「個性」を受容することは、クラスの子どもたちが心の豊かさを育む機会である点にもふれるとよいでしょう。

ひとりひとりに
合わせた支援を
していきます

アドバイス

「特別支援学級」という選択肢も

通常学級にいることで、自閉症の子ども自身が不都合を感じることが多いのであれば、特別支援学級で学習するほうがよいと言えます。

もし通常学級で、本人が苦しんでいる様子が見てとれるようであれば、保護者の目で確認してもらい、保護者自身が「子どものためには、特別支援学級に在籍させるほうが望ましい」という気持ちになるように促すことも、先生の役目と言えるでしょう。

困ったときのQ&A（保育園・幼稚園、学校編）

……先生の悩み……

Q 運動会や発表会などの行事に、ほかの子どもと一緒に参加させることがむずかしいのですが、どうしたらいいでしょうか。

A 自閉症の子どもはふだんと異なる、特別な状況がたいへん苦手ですから、参加がむずかしいのは当然です。できるところ、いやがらないところだけ、部分的に参加させることにし、その旨を保護者にも伝え、理解を求めるようにします。

Q 学校ではパニックになるなど、問題行動が多いのですが、家ではそうでもないと保護者は言い、あまり理解を示してくれません。子どもが場面によって違ったふるまいをすることはあるのでしょうか。

A 自閉症の子どもが場面によって変化を見せることはよくあります。学校に比べ、家庭のほうがその子に配慮した特別な環境を整えやすいでしょうし、学校は人がたくさんいますから、パニックの原因も多いと言えます。保護者にその状況を理解してもらうためには、学校に来て、参観してもらうのがよいでしょう。参観でふだんの様子を伝えきれない場合は、授業風景をビデオに録画し、保護者に見せるという方法もあります。

Q 同級生や同級生の保護者から、「ひとりの生徒を先生が特別扱いするのは不公平だ」という声が出ています。理解を求めるためには、保護者に対してどのように説明したらよいでしょうか。

A この点については、学校関係者もすべての保護者も意識を変えていかなければなりません。先生がすべての子どもに同程度のかかわり方をすることが〝平等〟である、という考え方は捨てるべきです。ひとりひとりの子どもに必要な教育・支援はすべて異なっており、先生は個々に異なる教育・支援を行うことが求められているのです。〝すべての子どもが特別である〟という考え方が、特別支援教育の基本理念であることを、みんなに理解してもらうことが大切です。

Q 清掃時間に、ほかの子どもと同じように掃除の分担をさせることがむずかしいのですが、どのように指導したらいいでしょうか。

A 掃除のしかたの手順を、絵入りの手順表などを使ってひととおり教えます。そのうえで、子どもにできそうな簡単な役割をつくります。たとえば、床のゴミを10個拾うとか、机を5つ下げるといったものです。ひとつができたら、少しずつ仕事を増やしていくようにするとよいでしょう。

6章

社会生活に向けて
家庭、地域での支援

子どもの成長に合わせた生活目標を考える

自閉症の子どもは障害を抱えながらも、みな発達します。しかし、発達度には個人差があるため、それぞれに合った生活目標を立てることが望まれます。

同じ年齢でも、発達段階が異なる

自閉症児の発達度には、大きな個人差があります。

ことばを話すことができ、知的な遅れのない自閉症の子どもは、その後も発達が進み、高いレベルまで能力が伸びると言われています。一方、ことばが話せず、知的な遅れを伴う自閉症では、高い伸びはあまり期待できないことがあります。

しかし、どのタイプの自閉症の子どもであっても、発達を続け、能力やソーシャルスキルが少しずつ向上していくことは確かです。

特別支援教育のもとでは、自閉症の子どもひとりひとりに個別教育プログラムを用意し、その子の発達段階に合わせた学習目標・生活目標を定め、その到達に向けた指導を行っていきます。

たとえば、ことばが話せて学習能力も高い子どもであれば、「文章が書けるようにする」という年間目標を立てることができます。

同じ年齢の子どもでも、ことばは話せず、絵カードでしかコミュニケーションがとれないなら、「ことばでコミュニケーションがとれるようにする」という目標を立てることになります。

大切なことは、その子どもの発達段階に合った目標を立てることです。

無理のない目標を設定し、発達の経過を見守る

自閉症の専門家である小児科や児童精神科の医師、臨床心理士であれば、子どもの発達状態を一定期間観察して

アドバイス

ことばの能力、知的能力と自立度の関係

一般的に、言語能力が高く、知的レベルの高い、高機能自閉症やアスペルガー症候群の子は、将来の身辺自立度、生活自立度も高いと考えられています。しかし、こだわりが強く、パニックになりやすいタイプの場合、専門家や先生の指導がスムーズに受け入れられないため、発達が進まず、生活自立がむずかしくなることがあります。

一方、ことばや知能の遅れがあっても、こだわりがあまりないタイプの子は、指導・指示を受け入れやすいため、スキルを身につけていくことが期待できます。こうしたケースでは、身辺自立が可能になることもあります。

いれば、将来、どこまで発達し、どの程度の能力が身につけられるかを、だいたい予測することができます。

専門家による予測にもとづき、無理のない目標を設定したうえで、子どもに合った指導・教育を続け、少しずつでも発達が見られれば、親はそれを喜びと感じるべきでしょう。

わが子の飛躍的な成長を期待して、無理に高い目標を設定しようとする親もいますが、それは子どもにとって大きな負担となり、子ども自身を不幸にしかねません。

現在の状態から、少しでもステップアップしていくことが大切なのです。

ひとりひとりについて個別の到達目標を立てる

現在の子どもの状態、これまでの子どもの成長過程を振り返り、専門家と相談しながら目標を立てていくことが大切です。

ことばは理解できるが、コミュニケーションはあまりスムーズではなく、知的な遅れはあまりない

↓

最小限の援助で身辺自立はできるようにし、支援者（作業所など）のサポートを受けながら社会生活を営むことができるようにする

ことばがまったく話せず、知的な遅れも大きい場合は、家庭あるいは施設で、家族や介護者の全面的な支援を受けながら生活していく

ことばによるコミュニケーションができ、知的レベルも高いタイプ

↓

将来、自立し、職業をもって、社会生活を営めるようにする

ことばによるコミュニケーションがあまりとれず、知的な遅れも少しある

↓

社会活動（就職して仕事をもつこと）にはかかわれないが、サポートがあれば身辺自立が可能であり、施設に通いながら制作活動などを行う（通所）

日常的な生活スキルを身につけさせる

子どもが将来、社会生活をしていくうえで欠かせないのがソーシャルスキルです。子どもには学力よりも、生活スキルを身につけることを優先させます。

学力をつけさせるよりも、身辺自立に重点を置く

学校教育の主な目的は学力をつけることですが、自閉症の子どもの場合は、学力よりもソーシャルスキル（社会技能）を身につけさせることに重点を置くべきです。

　学校という場が、子どもが将来、社会に出て、生活していくためのステップとなる場ととらえるならば、自閉症の子どもに、とりわけ必要なことが生活スキルの獲得であると、理解できるはずです。

　スキルを身につけさせるには、親や先生が中心となり、ときおり臨床心理士などの専門家に介入してもらって、ABAやTEACCHの手法を取り入れながら、療育《りょういく》を進めていくことにな

自閉症のスキルアップのステップ

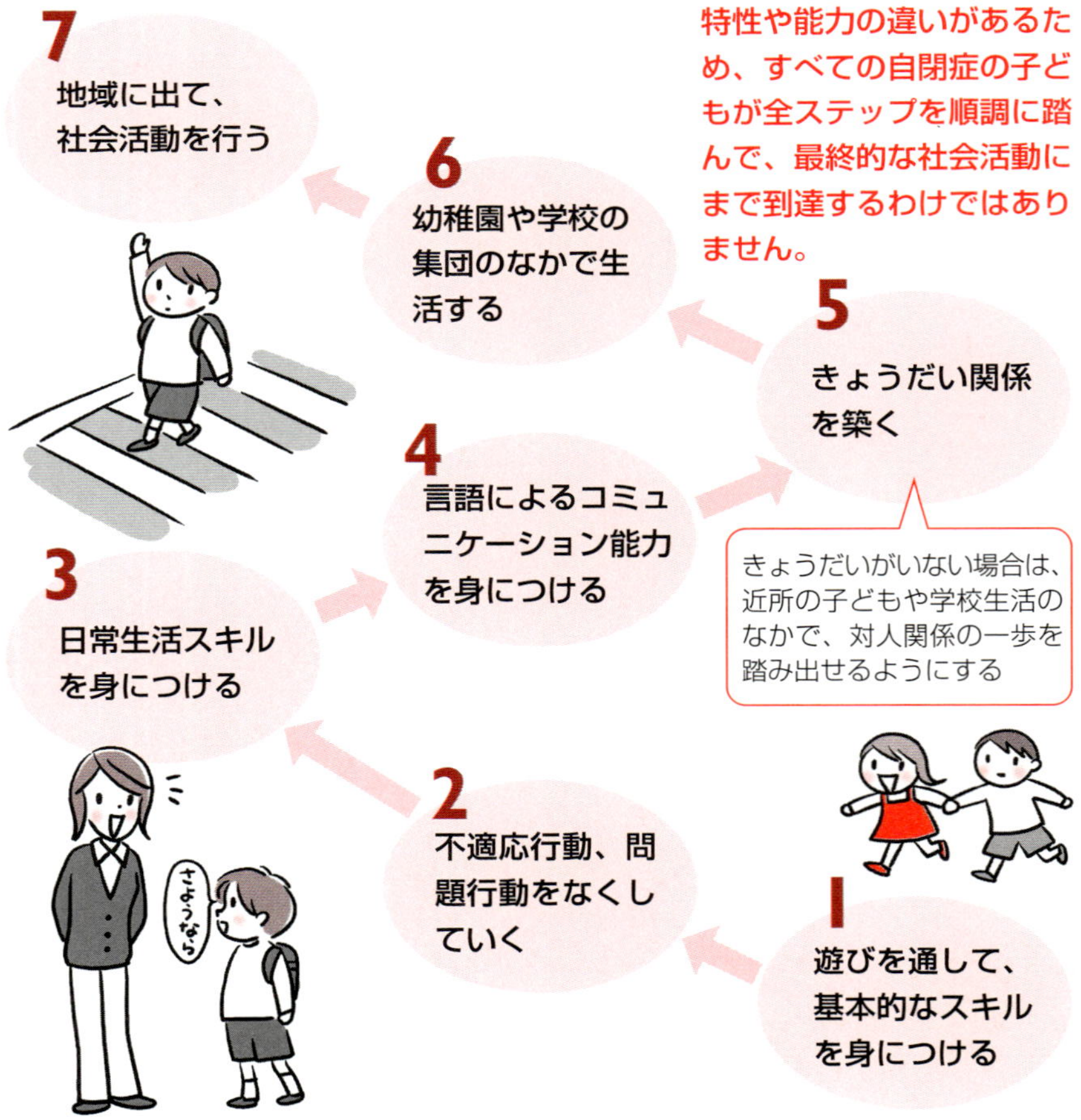
特性や能力の違いがあるため、すべての自閉症の子どもが全ステップを順調に踏んで、最終的な社会活動にまで到達するわけではありません。
1
遊びを通して、基本的なスキルを身につける
2
不適応行動、問題行動をなくしていく
さようなら
3
日常生活スキルを身につける
4
言語によるコミュニケーション能力を身につける
5
きょうだい関係を築く
きょうだいがいない場合は、近所の子どもや学校生活のなかで、対人関係の一歩を踏み出せるようにする
6
幼稚園や学校の集団のなかで生活する
7
地域に出て、社会活動を行う

ります。

トイレでの排泄《はいせつ》、入浴、衣類の着脱、食事などの日常生活スキルは、主に家庭でトレーニングしていきますが、コミュニケーションスキルを身につけるには、家庭だけでなく、学校もトレーニングの場として活用できます。

最初は、名前を呼ばれたら振り返るというところから始め、人の指示を聞いて理解する、自分の要求を相手に伝える、簡単なあいさつをする、質問への受け答えをする、というように、少しずつステップアップさせていくことが大切です。

子どもの理解度・発達度が低く、ことばを話すという段階になかなか至らないこともありますが、その場合でも、絵カードや文字カードなどを活用して、意思疎通がはかれるよう努めていきます。

子どもがもっている特別な能力を見逃さない

自閉症の子どもにとって重要なのは、実践的な生活スキルを身につけることですが、それだけで十分と言うわけではありません。

自閉症の子どものなかには、並はずれた記憶力で、膨大な桁《けた》数まで暗記できる子や、難解な漢字を読める子、世界の鉄道の駅名を路線図も見ずに言える子、自動車をひと目見ただけで車種を言い当てる子などがいます。

こうした能力は、実生活において直接、役立つものではありませんが、ふつうの人ではとても覚えられないようなことを暗記できる力をもっていることは、それだけでみんなの関心の的《まと》になります。周囲から、「すごいね」「よくそんなに覚えられるね」とほめられれば、うれしい感情がわき、自尊感情が高まります。

人に評価されてうれしいという気持ちをもちにくい自閉症の子にとって、こうした経験は、情緒を育むうえでも重要ですし、他人とのかかわりをもつきっかけづくりにもなります。

その子に秘められているすぐれた能力を見逃さず、さらに伸ばしていくようにサポートすることも周囲の人の役割と言えます。

○○線の始発駅は△△駅で次の停車駅は◇◇駅、次は□□駅、次は▽▽駅‥‥
へえ〜よく知っているのねえ

興味をもっていることを出発点にして、そこから興味の範囲を広げていくようにすると、さまざまな知識を身につけていくことも可能です。

地域の人に、障害について理解してもらう

家庭や幼稚園、学校以外の場所で、子どもの存在を知り、状況を理解して、簡単なサポートをしてくれる人がいれば、安心して外出できます。

近所の人や顔なじみの店員などに協力を求める

自閉症という障害の特性から、子どもを外出させることに、親はためらいがちです。外でパニックが起きたら大変だ、常同行動が出れば奇異な目で見られるだろう……そう考えていると、いつまでも外に出られなくなります。

自閉症の子を社会生活に向けてサポートしていくには、家と学校の往復だけでなく、地域のなかでルールを覚えさせていくことが必要です。

それには、一緒に外出して子どもの存在を近所の人に知ってもらうことです。そして、どのような障害なのか、どんなトラブルが起きやすく、起きたときにはどう対処すればよいのかなど、簡単な注意点だけでも理解してもらうことが大切です。

「人より敏感なので、体にはさらわないでください」「奇妙な行動をしても無視してください」「いけないことをしたときはダメと言わず、○○しなさいと教えてください」という程度のことを伝えておけばよいでしょう。

町内の人全員を集めて説明する必要はありません。よく顔を合わせる人や、スーパーの顔なじみの店員など、数人でよいのです。そういう理解者が生活圏のところどころにいてくれるだけで、親は心強いですし、子どもにとっても安心感が生まれ、外に出て行きやすくなります。

社会ルールやマナーを教えてもらう

社会生活を営めるようになることを

アドバイス

障害を隠さずオープンにする

自閉症の子どもの特性を一般の人に理解してもらうのはむずかしいのが実情です。しかし、子どもの障害を周囲に知られまいとして隠せば、子どもが社会に出て行くチャンスは失われます。

差別的な目で見られるのでは、という不安もあるかもしれませんが、子どもを家の中にとじ込めておくことが、子どもにとって幸せなのかどうか、よく考えてみる必要があります。

大きくなってからでは、子ども自身にもかえって抵抗があるでしょう。子どもが幼いうちに、自閉症であることを顔なじみの数人に告げておけば、一緒に成長を見守ってもらうこともできます。

顔見知りになればこんなサポートが受けられる

子どもの姿が見えないと思っていたら、よく行くスーパーマーケットの店員から「いま、うちに来ているよ」と電話があった

いつも通る道が工事中でふさがっていたので、おまわりさんに安全なルートを誘導してもらった

駅で切符の買い方がわからなくなってしまい、駅員さんに教えてもらった

望んで療育《りょういく》を行うのであれば、外出時の行動のとり方なども、少しずつ覚えさせていかなければなりません。

道路の歩き方、信号の見方、横断歩道の渡り方といった基本的なルールから、屋外ではどこに危険があるか、危険を回避するためにどうしたらいいのかといったことまで、ていねいに教えてあげます。

電車を使う場合は、切符の買い方、改札の通り方、電車の待ち方、乗車後の立ち位置など、それぞれ段階を経て理解させ、実践できるように導いてあげる必要があります。

最初は親が横について教えますが、ある程度自分でできるようになったら、親は離れたところで見守るようにし、自立的にやらせるように仕向けていかなければなりません。その際、交番の巡査や駅員さんにも協力を求めておくことが大切です。

子どもがおまわりさんや駅員さんと顔なじみになっていれば、より安心してトレーニングに取り組むことができます。

自立に向けて

習い事やスポーツクラブで活動の場を広げる

家庭や学校で身につけてきたスキルを、ほかの場面で応用していくことが大切です。店やレストランに行ったり、習い事に挑戦してみるのもよいでしょう。

習い事で余暇活動の幅を広げる

自閉症の子どもに比較的向いている習い事は、制作に取り組める絵画教室や陶芸教室、音楽や楽器演奏を行う音楽教室、スポーツでは水泳教室などです。野球やサッカーのようにチームワークを要するものや、テニスのように1対1で競い合うものはあまり向いていません。

習い事の教室に通って余暇活動の幅を広げる

外出に慣れ、家や学校以外の場で、社会経験を積むために、習い事やスポーツを始めるのも有意義です。

週に一度、学校に行くときとは違う道を通って習い事の教室に行き、新しい先生や仲間とふれあいながら、ふだんできないことに挑戦することで、子どもの成長が促されることがあります。

また、自由な時間を過ごすことがストレスになる自閉症の子にとって、余暇活動が広がれば、ストレスを感じなくてすむという効果もあります。

習い事は、音楽が好きなら音楽教室、水遊びが好きなら水泳というように、その子が興味をもちそうなことを選ぶのがポイントです。

水泳が苦手だから克服させるために水泳教室に通わせる、というやり方では長続きしません。子どもがそれに打ち込むことで、余暇活動の幅が広がり、趣味が増えて、生活が充実するような習い事を選択することです。

ひとりで買い物にチャレンジしてみる

子どもが外出に慣れてきたら、買い物にもチャレンジさせてみましょう。

自閉症の子にとって、買い物はとてもむずかしい生活スキルです。品物と金銭の授受の関係がなかなか理解できないようで、ほかのスキルはかなり上達していても、買い物だけはスムーズにできないというケースがよく見られます。

最初は、品物と金銭を交換するというしくみをわからせるのではなく、買い物のまねごと、つまり練習をさせます。親が何度かやって見せ、手順がわかったら、親が横にいる状態で、子どもにやらせてみます。

練習の段階では、入る店、買うもの、支払うお金は変えないようにします。

店は顔なじみの店員がいるところを選び、自閉症の子どもに練習させているので協力してほしい旨も伝えておきます。また、いつも同じ店員に対応してもらえるよう、お願いしておくとよいでしょう。親が横についた状態でできるようになったら、親は店の外で待ち、子どもひとりでやらせてみます。

それがうまくいったら、親は家で待っていて、家を出て買い物をして、帰宅するまでを通してやらせてみる、というように少しずつステップを上げていきます。

全部をひとりでできるようになることを最終目標とします。

買い物スキルを習得させるコツ

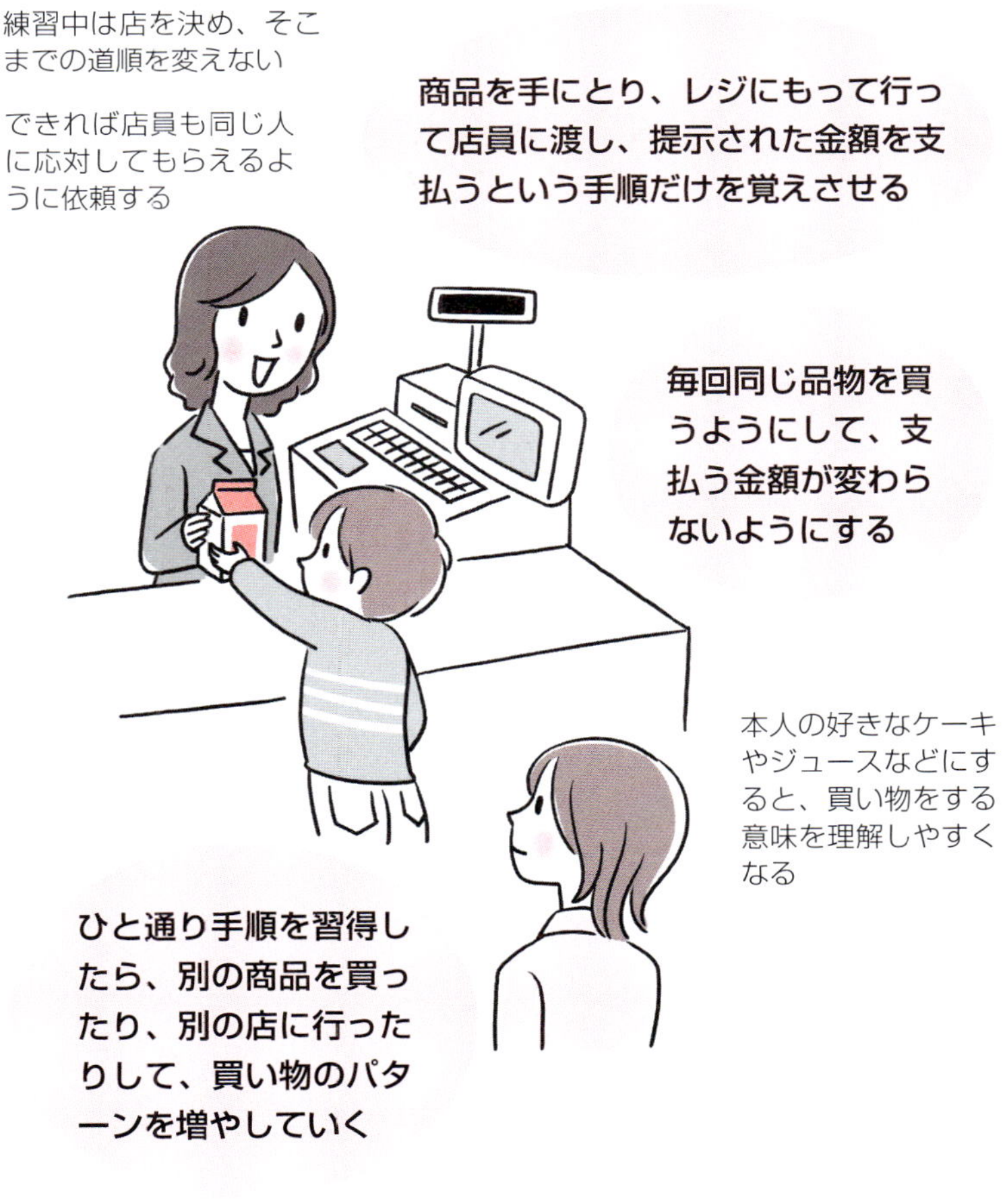
練習中は店を決め、そこまでの道順を変えない
できれば店員も同じ人に応対してもらえるように依頼する
商品を手にとり、レジにもって行って店員に渡し、提示された金額を支払うという手順だけを覚えさせる
毎回同じ品物を買うようにして、支払う金額が変わらないようにする
本人の好きなケーキやジュースなどにすると、買い物をする意味を理解しやすくなる
ひと通り手順を習得したら、別の商品を買ったり、別の店に行ったりして、買い物のパターンを増やしていく

自立に向けて

学校卒業後の就労支援・生活支援

自閉症の子どももいつかは大人になり、地域で生活していかなければなりません。大人の自閉症の人の就労や生活を支援する態勢も求められています。

生活形態・就労形態は ひとりひとり異なる

自閉症の子どもの自立度には大きな個人差があります。成長につれてことばが発達し、人とのコミュニケーションもとれるようになり、生活自立ができるケースもあれば、大人になってもことばが話せず、自立がむずかしい人もいます。それぞれの特性や自立度によって、大人になってから就労できるかどうかも違ってきます。

生活自立度が高く、コミュニケーション能力もある人は、就労の機会が得られ、相応の収入を手にして、自活していくことが可能です。

一方、自立が困難な人は、家庭か施設において、全面的な支援を受けながら生活していかなければなりません。

しかし、どのようなケースであっても、その人が安定した気持ちで日々を送ることができ、仕事や趣味など、打ち込めるものを見つけて、人生を豊かにできるような環境が必要です。

授産施設や作業所で 仕事に携わる

高機能自閉症の人で、きわめて知的レベルが高く、コミュニケーション能力もあって、大学などに進学し、一般企業や研究職に就ける場合もありますが、多くの自閉症のケースでは、授産施設や作業所における、「福祉的就労」に携わるのが一般的です。

授産施設や作業所では、主に、軽作業や単純作業が用意され、ひとりひとりの特性に合わせた作業を担当しても

POINT

自閉症の人に適した仕事

人によって、適職はさまざまですが、一般的には、自閉症という障害の特性上、どのような状況が起こるか予見できる仕事が向いています。人を相手に臨機応変に対応しなくてならない仕事は向いていません。

数字に強い人であれば、コンピュータのプログラマーやソフト制作、順番どおりに並べることが得意な人なら図書館の本の整理、制作に没頭するのが好きな人なら、陶芸などの美術制作が適しているでしょう。

単純作業を繰り返していても飽きない、むしろ気持ちが安定するという人もいますから、そういう人には、工場の軽作業や点検作業が適していると思います。また、園芸や農業など自然とかかわる仕事も向いています。

らい、毎月、工賃が支給されるしくみになっています。

共同作業が向かない人にはひとりでできる作業を、単純作業の繰り返しが得意な人にはそのような作業を受けもってもらいます。

作業は手順カードなどにもとづいて練習し、段階を踏んですべての工程ができるようにします。最初は支援者が横について指導しますが、作業を覚えたら、支援の手を減らしていきます。

このほか、公共施設や一部の企業では、障害者の就労支援を行っているところもあります。ハローワーク（公共職業安定所）や障害者職業センターなどの窓口で相談してみましょう。

一般就労を目指す場合、地域の障害者職業センターや障害者雇用支援センターなどで、作業訓練、対人訓練などの就業準備支援を受けることができます。また、就職後、職場適応を促すためにジョブコーチを派遣するサービスを行っているところもあります。こうした地域支援制度もおおいに活用しましょう。

自閉症の人の「暮らし」を支える

グループホーム

自閉症の人、数人が世話人の支援を受けながら、集団で生活するしくみです。以前は「生活寮」と呼ばれていました。世話人は食事の提供などの援助を行います。共同生活を通して、社会ルールを覚えたり、生活自立を促す支援を受けたりします。

入所施設

通所施設と同じ、知的障害者更正施設で提供されるサービスで、毎日施設内で暮らしながら、生活支援、作業支援、余暇支援などを受けるものです。入所や通所は、自閉症のなかでも、とくに障害の重い人のために設けられているサービスです。

このほか、主に自宅で生活している自閉症の人に対し、身体介護や家事援助、移動の介護などの目的で、ホームヘルパーを派遣してもらう、ホームヘルプ、ガイドヘルプなどのサービスもあります。

ショートステイ・デイサービス

自宅あるいは「生活寮」（グループホーム）で生活している自閉症の人が、数日間、施設に宿泊して生活し、必要な支援を受けたり、趣味的活動を行ったり、施設内の行事に参加したりできるサービスをショートステイ、日帰りで同様のサービスを受けられるものをデイサービスと言います。市区町村の役所で手続きを行い、支援区分に応じたサービスを受けることができます。

通所施設

自閉症の人が、自宅あるいは生活寮から通い、日中の7～8時間を過ごす施設のことで、知的障害者更正施設と言います。施設では、作業や創作、音楽、運動などの活動支援を受けたり、日常生活に必要な機能訓練や自立支援も受けることができます。

人生のゴールは設定せず、できることを積み重ねていく

自閉症の子どもが10年後、20年後にどうなるかを案じるのではなく、いま、できることに取り組み、少しでも自立を進めておくことが重要です。

家庭、地域における自立を進めることが先決

自閉症の子どもは発展途上にあります。障害を抱えながらも、それぞれに成長し、指導や教育を受けながら発達していきます。いまできないことも、1年後にはできるようになるかもしれません。

親としては、子どもが大人になったとき、どれくらい自立できているだろうか、生活していけるだろうかと思い悩むことでしょう。

しかし、ふつうの子どもであっても10年、20年先のことはわかりません。遠い将来のことよりも、いま、目の前にいる子どものスキルアップを援助し、少しでも自立を進めておくことのほうが、はるかに大切です。

目標を定めるときのポイント

子どもがいま、何段目にいるのかを見極めることと、目標を一段上の段に設定することが大切です。それよりも上のことは、子どもが一段上に上ってから考えるようにします。

最初から最上段をゴールと定め、それに向かって子どもを上らせようとしてもうまくいかない

なぜなら、発展途上にある子どもは、適切な療育《りょういく》を受ければ、それだけ伸びていくからです。将来のことが心配なら、なおのこといまの時間を大切にし、子どもに適した療育をしてあげることに力を注いでください。

発達とは、少しずつ積み重ねていくもの

発達とは、いま現にもっている能力が伸びて、次のステップへと進むことを言います。発達に最終ゴールはありません。ゴールをあらかじめ設定しておき、それに向けて発達を進めるということはできないのです。

つまり、発達とは積み上がっていくものなのです。階段の10段目には、1段目から順に上りはじめて、9段目まで行かなければ到達しないということです。

みんな1段目から順に上って行きますが、ある人は7段目までしか行けないかもしれません。しかし、10段目まで上れる人も、間の4段目や5段目を飛ばして10段目に到達するわけではありません。

ですから、子どもが1段目に立っているときには、10段目を目指すのではなく、2段目を目指してほしいと思います。その2段目を飛ばして、10段目に行くことはできないのですから。

子どもが単語を話せるようになったら、今度は二語文が話せるようにしようという目標を立ててください。長い複雑な文章がペラペラ話せるようになる、というような、先の目標は立てないようにします。

子どもがいま、階段の何段目にいるのかを見極めることは非常に重要です。それがわからないと、どのような目標を立て、子どもに何を教えればよいのかが明確になりません。

目の前にいる子どものありのままの状態を客観的に評価し、次に進むべきステップが何であるか、そのためには何を教えていけばよいのかを適切に判断してください。そして、ステップを一段一段上りながら、日々の発達を見守ってあげてほしいと思います。

POINT

個別教育プログラム(IEP)でも、目標は１年ごとに立てる

学校教育における、個別教育プログラムでも、自閉症の子どもの生活目標・学習目標は１年ごとに立てます。それは、子どもが日々発達し、教育・療育を受けることで変わっていくため、中期目標、長期目標を立てることが困難だからです。

個別教育プログラムにおいても、子どもの現在の能力・レベルを適正に判断することがきわめて重要になります。その評価にもとづいて、その子どもにふさわしい、無理のない目標を設定するのです。

神経刺激薬……70
睡眠障害……102
睡眠障害への対処法……102
スキルアップのステップ……132
スケジュール……96
スケジュール変更……97
ステップ(化)……76〜79・82・98
生活支援……138
(日常)生活スキル……75・132・133・137
生活目標……130
絶対評価……121
ソーシャルスキル……38・106・130・132
相対評価……121
●た●
対人訓練……139
対面遊び……112・113
知能指数(IQ)……48・66
通常学級……40・106・107・108・120・121・124・126
通所施設……139
つば吐き……90・91
津守式乳幼児精神発達診断……62
DSM-Ⅳによる自閉性障害診断基準……63
TEACCH……80・86・132
TEACCHの特徴……81
手順の教え方……78
手順の構造化……82・83
手順表……98
手順表の例……99
手順を教えるときのコツ……98
てんかん……45・65
典型的な自閉症……49
動機づけ……72・74
特殊(特別支援)学級……84・106・107・127
特殊教育……124
特別支援教育……124・125・130
●な●
入所施設……139
脳波異常……45
●は●
発達障害……40・51・122・124・126
発達障害者支援法……40
発達障害の分類……41
発達段階……130
パニック
……24・34・37・66・70・97・114・115・122・128・134
パニックを起こしたときの対処法……35
引きこもれる場所……115
非定型自閉症……49
人見知り……12
ひとり遊び……112・113
平等(主義)……122・128
ヒントを与える……76・77
福祉的就労……138
平行遊び……112・113
偏食……22・23・103
偏食の特徴……23
偏食への対処法……103
●ま●
見立て遊び……33
目標を定めるときのポイント……140
文字カード……118・119・133
問題行動……37・75・76・90・91・122・128
問題行動への対応のしかた……91
●や●
薬物療法……70
指さし……14
養護(特別支援)学校……106・107
幼稚園・保育園のメリット……111
余暇活動……136
●ら●
療育(治療教育)
……54・72・84・85・86・132・135・141
臨床心理士……80・84・85・86・123・130

色がついている項目は、図や表で解説しているものです。

さくいん

●あ●

愛着行動 …… 10
アスペルガー症候群 …… 40・41・46・50・66・67・68
遊びの発達段階 …… 112
遊びを通じて得られるスキル …… 112
あと追い …… 11
遺伝子の異常 …… 46
ADHD（注意欠陥多動性障害）…… 40・41・67・68・70
ADHD（注意欠陥多動性障害）診断基準 …… 69
ABA（応用行動分析）…… 76・86・132
絵カード …… 92・93・97・130・133
絵カードの使い方 …… 92
絵シール …… 92・93
絵シールの使い方 …… 93
SSRI（選択的セロトニン再取り込み阻害薬）…… 70
LD（学習障害）…… 40・41
オウム返し …… 15
重い自閉症 …… 48

●か●

学習目標 …… 130
（感覚）過敏 …… 16・17・34・70
軽い自閉症 …… 48
かんしゃく …… 34
かんしゃくを起こしたときの対処法 …… 35
逆行型（手順の教え方）…… 78・79
強化 …… 76・119
きょうだいとの接し方のポイント …… 105
空間の構造化 …… 82・83・94・95
繰り返し動作 …… 19・20
グループ遊び …… 112・113
グループホーム …… 139
クレーン現象 …… 14
言語聴覚士 …… 80・84
言語能力の高い自閉症 …… 53
高機能自閉症 …… 41・48・49・50・52・53・66・68
抗精神病薬 …… 70
構造化 …… 81・82
抗てんかん薬 …… 70・71
行動療法 …… 74・75
行動療法の基本的な考え方 …… 75
校内委員会 …… 125
広汎性発達障害 …… 40・66
交流級 …… 107
こだわり …… 17・22・48・66
ごっこ遊び …… 33・112・113
ことばの（発達の）遅れ
…… 15・44・48・50・56・93・130
個別教育 …… 120
個別教育プログラム（IEP）…… 130・141
ごほうび …… 75・76・88・89
コミュニケーション能力（スキル）
…… 74・107・112・133・138

●さ●

サヴァン症候群 …… 26
作業訓練 …… 139
視覚的なサイン …… 92
時間の構造化 …… 82・83
自己刺激行動 …… 20
自傷行為 …… 24・34・35
自尊感情 …… 89・100・133
自閉症が気づかれる場面 …… 55
自閉症スケール …… 62・64
自閉症スペクトラム …… 50・51
自閉症スペクトラムのメリット …… 50
自閉症とかかわる脳の機能障害 …… 45
自閉症の合併症・二次症状に効く薬 …… 71
自閉症のタイプと知的障害の程度 …… 49
自閉症を判断する４つの基準 …… 49
自閉性障害 …… 54・57・66
社会性 …… 104・110・112
集団の力 …… 110・111
就労支援 …… 138
順行型（手順の教え方）…… 78・79
常同行動 …… 18〜21
ショートステイ・デイサービス …… 139
ジョブコーチ …… 139

● 著者

榊原洋一（さかきはら・よういち）

1951年東京都生まれ。東京大学医学部卒業。東京大学医学部講師、東京大学医学部附属病院小児科医長を経て、現在、お茶の水女子大学大学院教授。医学博士。発達神経学、神経生化学を専門とし、長年、発達障害児の医療に携わる。著書に『アスペルガー症候群と学習障害』（講談社）、『ササッとわかる最新「ADHD」対処法』（講談社）『図解 よくわかるADHD』（ナツメ社）などがある。

● 執筆協力　石原順子
● イラスト　くどうのぞみ
● 編集協力　株式会社文研ユニオン
● 編集担当　澤幡明子（ナツメ出版企画株式会社）

図《ず》解《かい》　よくわかる自《じ》閉《へい》症《しょう》

2008年 3 月13日　初版発行
2011年 3 月30日　第10刷発行

著　者　**榊《さかき》原《はら》洋《よう》一《いち》**

発行者　**田村正隆**

発行所　**株式会社ナツメ社**
東京都千代田区神田神保町 1－52　加州ビル 2 F（〒101−0051）
電話　03(3291)1257(代表)　　FAX　03(3291)5761
振替　00130-1-58661

制　作　**ナツメ出版企画株式会社**
東京都千代田区神田神保町 1－52　加州ビル 3 F（〒101−0051）
電話　03(3295)3921(代表)

印刷所　**図書印刷株式会社**

ISBN978－4－8163－4462－6

〈定価はカバーに表示してあります〉
〈落丁・乱丁本はお取り替えします〉